À SOMBRA DO PODER

Rodrigo de Almeida

À SOMBRA DO PODER

BASTIDORES DA CRISE QUE DERRUBOU DILMA ROUSSEFF

COPYRIGHT © 2016 RODRIGO DE ALMEIDA
COPYRIGHT © 2016 CASA DA PALAVRA / LEYA EDITORA LTDA.

Todos os direitos reservados e protegidos pela Lei 9.610, de 19.2.1998.
É proibida a reprodução total ou parcial sem a expressa anuência da editora.

Preparação
Bárbara Anaissi

Revisão
Eduardo Carneiro

Capa e projeto gráfico
Leandro Dittz

Diagramação
Futura

Crédito de imagem de capa
André Coelho / Agência O Globo

CIP-BRASIL. CATALOGAÇÃO-NA-FONTE
SINDICATO NACIONAL DOS EDITORES DE LIVROS, RJ

Almeida, Rodrigo de
    À sombra do poder: bastidores da crise que derrubou Dilma Rousseff / Rodrigo
de Almeida. São Paulo: Leya, 2016.
    224 p.

    ISBN 978-85-441-0494-1

    1. Brasil – Política e governo. 2. Imprensa e política – Brasil – História. I.
Título.

CDD: 320.981
CDU: 32(81)

TODOS OS DIREITOS RESERVADOS À
EDITORA CASA DA PALAVRA
AVENIDA CALÓGERAS, 6 | SALA 701
20003-070 – RIO DE JANEIRO – RJ
WWW.LEYA.COM.BR

Para Letícia, Luca e Clara

Sumário

Explicação 9

Capítulo 1 | O começo do fim 13

Capítulo 2 | O candidato que não soube perder 25

Capítulo 3 | Feridas abertas por um duelo de insultos 33

Capítulo 4 | Campanha é campanha, governo é governo 41

Capítulo 5 | O PT contra Joaquim Levy 47

Capítulo 6 | É a política, estúpido 55

Capítulo 7 | "Levy vai sair?" 61

Capítulo 8 | O risco sobe, a economia desce... 69

Capítulo 9 | ... e os empresários balançam 77

Capítulo 10 | Uma reforma para salvar o governo 85

Capítulo 11 | Na lama 95

Capítulo 12 | O algoz 103

Capítulo 13 | A reação 111

Capítulo 14 | O vice conspira.. 121

Capítulo 15 | #chateado 127

Capítulo 16 | Mudar para continuar.................................. 135

Capítulo 17 | Uma bomba chamada Delcídio 147

Capítulo 18 | Pasadena irrita 155

Capítulo 19 | Deu zika 163

Capítulo 20 | Lula é o alvo 169

Capítulo 21 | Primeiro-ministro.. 179

Capítulo 22 | A destemperada 189

Capítulo 23 | "Não vai ter golpe" x "In Moro we trust".......... 199

Capítulo 24 | Fim de festa 209

Agradecimentos 217

EXPLICAÇÃO

Este livro narra os bastidores da longa e exaustiva crise político-econômica que derrubou a presidente Dilma Rousseff. A sorte me levou a Brasília em abril de 2015, 13 meses antes de ela ser afastada pelo Congresso para enfrentar um processo de impeachment. Até setembro daquele ano, fui assessor de imprensa do então ministro da Fazenda, Joaquim Levy. A partir dali, a convite da presidente e do ministro Edinho Silva, da Secretaria de Comunicação Social, virei secretário de Imprensa da Presidência. Mais uma generosidade do acaso. Desembarquei no Palácio do Planalto com um pedido de impeachment batendo à porta de Dilma, tornando a missão tão inglória quanto desafiadora: na minha vaidade e ilusão, senti-me como parte de um pacote de solução de crise.

E que crise. Ao longo daqueles meses, entre a Esplanada e o Palácio, o governo viveu e padeceu sob a versão brasileira das dez pragas do Egito. Listei: inflação de dois dígitos, desemprego também de dois dígitos, recessão econômica, o mar de lama deixado pelo rompimento da barragem de Mariana, em Minas Gerais, o vírus zika, a Operação Lava Jato, a delação premiada do senador Delcídio do Amaral, preso no exercício do mandato, a polêmica sobre a compra da refinaria de Pasadena, a ação no Tribunal Superior Eleitoral, que pedia a cassação da chapa Dilma-Temer, e o processo de impeachment no Congresso. São dez, mas pode ter sido mais, como o episódio envolvendo o então presidente interino da Câmara, o deputado maranhense Waldir Maranhão, numa derradeira, desesperada e atrapalhada tentativa de barrar o processo de impeachment no Congresso. Ou pragas como o deputado Eduardo Cunha – o homem das contas na Suíça que conduziu o processo na Câmara –, uma oposição que já pensava no impeachment uma semana depois de perder a eleição e um vice-presidente que trabalhou durante meses em favor da derrubada de Dilma: Michel Temer, o "capitão do golpe", na definição saborosa do ex-ministro Ciro Gomes.

O livro foi concebido com a ideia de reunir, numa só peça, todos os atos que envolveram o processo de esfacelamento do governo de Dilma Rousseff e sua queda. Quem trabalhou ao seu lado, militou em sua causa e a defendeu ardorosamente na luta contra o impeachment possivelmente estranhará a ausência de "golpe" no título ou no subtítulo. Foi proposital. Alguns livros foram publicados antes deste, produzidos por militantes, acadêmicos e jurídicos, todos dedicados especialmente a denunciar e combater o golpe contra a presidente Dilma Rousseff e defender a democracia. O principal, *A radiografia do golpe*, foi publicado também pela editora LeYa. Nele, o sociólogo Jessé Souza, presidente do Instituto de Pesquisa Econômica Aplicada (Ipea) durante o crepúsculo do mandato da presidente, ataca ferozmente as elites econômicas que modularam o processo de impeachment. Descreve e analisa também o papel da imprensa. Diferentemente deste e dos demais, no entanto, não busco defender uma tese nem fazer denúncia de qualquer espécie. O foco principal é a narrativa do processo que levou à queda de Dilma – a análise e a opinião aparecem em segundo plano.

O fantasma do impeachment aprisionou o governo no que ele tinha de agenda a cumprir com o Brasil. A conjugação de astros que uniu Lava Jato, PSDB, Eduardo Cunha e Michel Temer aprisionou a presidente durante todos aqueles meses. A agonia estendida aprisionou o país. O golpe parlamentar – a face exposta dos golpes contemporâneos, segundo a própria presidente – é explicado nas próximas páginas, sem que nelas se defenda uma tese. É uma forma de ver a história enfrentada naqueles dias tensos de governo, buscando ser o menos opinativo possível. O leitor, no entanto, enxergará algumas derrapagens, porque ninguém é de ferro. Sobretudo para quem viveu intensa e exaustivamente a crise 18 horas por dia, sete dias por semana.

A narrativa começa na eleição presidencial, uma vez que a mais dura disputa da história da redemocratização foi um capítulo central da crise do segundo mandato de Dilma. Estende-se pela economia, pelos motivos óbvios: o trabalho com Joaquim Levy e a natureza econômica da crise política, ou a natureza política da crise econômica. Esta foi uma simbiose perversa facilitada pela perseguição implacável à presidente Dilma durante todo o seu segundo e interrompido mandato, mas agravada pelos erros cometidos por uma mulher íntegra e honesta, porém difícil. Sobre ela sempre pairou um conjunto enorme de críticas – algumas justificáveis, outras puro mito. Tento mostrar as duas coisas. Ao trabalhar com ela, descobri uma das mulheres mais inteligentes que já conheci e pude constatar de perto o tamanho do preconceito existente sobre uma líder mulher. Uma brincadeira dela se tornou célebre: era uma presidente rude cercada de homens sensíveis. Ironia em resposta à fama de briguenta, grosseira e de difícil trato num país acostumado a ter o macho adulto branco sempre no comando.

De qualquer forma, Dilma intimidava. E seu método de interlocução com auxiliares – ministros incluídos – a prejudicou porque muitos não tinham coragem ou energia para se contrapor a ela. A ausência do contraditório a fez embarcar em muitas canoas furadas. Em contrapartida, fora dos assuntos da Presidência, ela exibia charme, bom humor e conhecimento vasto em áreas como artes, música clássica e literatura. Mesmo escrevendo este livro, tento não passar a ideia de que eu gozava de sua intimidade. Isto é comum no singular mundo de Brasília: gente querendo parecer com mais poder do que tem. Espero não ter cometido tal erro. Em meses de trabalho próximo à presidente e entrando quase diariamente em seu gabinete, não fui um conselheiro estratégico, como outros secretários de Imprensa foram para outros presidentes. Mas busquei ser um observador da história que passava à minha frente e ajudá-la, ajudar o governo e ajudar o país, no limite da minha competência, do espaço de manobra e do que ela própria precisava, pedia e deixava.

Governo, aprendi, é para fortes. E mais do que ninguém Dilma Rousseff demonstrou sua fortaleza diante das tempestades que atravessou. Enquanto todos ao redor – ministros, assessores, auxiliares em geral – pareciam cair ou se exasperar, por exaustão, problemas de saúde ou incompetência (e também por denúncias), ela se manteve firme até o fim. Mesmo quando o ódio, o desprezo e o rancor eram cargas negativas e pesadas dirigidas a ela e ao governo. Dilma mostrou uma notável capacidade de trabalho e resistência, atributo que já havia exibido ao longo de uma vida de lutas pesadas. Tais qualidades, no entanto, jamais a eximiram dos defeitos. Conforme se lerá, alguns dos defeitos e equívocos são expostos, não como um assessor que escancara as fragilidades da ex-chefe, mas na tentativa de compreender o processo.

No relato a seguir, optei pela união constante entre o bastidor e as informações publicadas na imprensa. É um modo de fazer o leitor rememorar o que era exposto ao público durante a longa crise e, ao mesmo tempo, descobrir o que se passava no Palácio – incluindo as reações, a definição de estratégias em cada circunstância e a interpretação dos fatos. Assim, creio ser possível, também, ajudar a compreender o papel da imprensa no processo.

Este é um livro que evita tanto a linha chapa branca quanto o criticismo estéril. Não é um livro de militante nem de assessor ressentido. É um livro de observação. Um registro para a história de uma época profundamente trágica para o país.

Capítulo 1

O COMEÇO DO FIM

*"Outono é a estação em que ocorrem tais crises,
e em maio, tantas vezes, morremos."*
Carlos Drummond de Andrade

O dia amanheceu silencioso, lento, melancólico. Esperava-se um calor marcante, tanto na temperatura que passaria dos 30 graus daquele outono ensolarado de Brasília quanto no clímax emocional. A contagem regressiva prévia fez com que todos os apoiadores – sem exceção e cada um a seu modo – criassem os próprios mecanismos internos para estar pronto. Havia algum tempo que se sabia: aquele momento chegaria. E, enfim, chegara. Dilma Rousseff seria afastada da Presidência da República. Aquela mulher que despertava entre seus auxiliares admiração e temor (e às vezes raiva, mas jamais indiferença) migraria de uma dura eleição, vencida com 54 milhões de votos, para um doloroso processo de impeachment. Um processo conduzido por seu algoz-mor, o deputado Eduardo Cunha (PMDB) em conluio com o próprio vice-presidente, Michel Temer (PMDB), e o candidato derrotado nas urnas de 2014, Aécio Neves (PSDB) – além de aliados que viraram a casaca na última hora e passaram a integrar a horda que queria expulsá-la do Planalto.

A presidente seria afastada, fato. Temporariamente, para alguns do Palácio. Definitivamente, para muitos.

O cretinismo parlamentar contaminara a nação, muitos de nós pensávamos. Esta expressão foi usada por Karl Marx em seu *18 de Brumário*. Lenin também gostava dela. Aplicavam aos oportunistas de sua época, para quem o sistema parlamentar é onipotente e a atividade parlamentar, a única e principal forma legítima e eficaz de luta política. (Marx e Lenin não eram muito chegados a uma democracia representativa, mas esta é uma outra história.) Os oportunistas parlamentares evidentemente agora eram outros, mas aproveitavam uma onda crescente que chegara e levara boa parte do país, sobretudo a parte que manda. Na contaminação do país incluía-se a antipatia crônica da imprensa com a inquilina do Palácio, o pessimismo crescente dos agentes econômicos, a disseminação do ódio e do preconceito contra tudo o que se parecesse com governo, PT, Lula e Dilma. E, por fim, mas não menos importante, a sabedoria regimental dos oportunistas da Câmara dos Deputados, que garantira a seu presidente, Eduardo Cunha, uma pletora de manobras capazes de, por um lado, assegurar-lhe longevidade enquanto recebia tiros e mais tiros de denúncias e, de outro, permitir pressa ao andamento do processo contra Dilma Rousseff.

A frente única Fiesp-Vem Pra Rua-PSDB – com os olhares e os desejos de boa parte da mídia – seduzira a maioria da parcela governista do PMDB, outros partidos seguiram o fluxo e os ratos começaram a debandar do navio. O naufrágio revelava-se inevitável. Não sem disputa e luta aguerrida por quem se mostrava inconformado pela deposição de uma presidente da República legitimamente eleita, impedida sem que houvesse uma denúncia formal contra ela. Nas semanas que antecederam o seu afastamento, Dilma transmitiu a convicção da inocência. Podia ter descumprido o que prometera na campanha. Podia ser intempestiva. Podia ser arredia. Podia ter errado ao dar de ombros para deputados do médio e do baixo clero, ou tratar mal senadores da República. Mas num mundo político habitualmente enlameado, Dilma não mostrava nódoa alguma. Mesmo os inimigos mais duros concediam-lhe o mérito da honradez. Não roubara, mas estava sendo julgada por muitos ladrões – como dizia sempre nos bastidores e muitas vezes em público, ela não tinha contas na Suíça. Pedaladas fiscais? Pouca gente sabia o que era isso, e os poucos que sabiam garantiam que prefeitos, governadores e presidentes anteriores também pedalavam. Decretos suplementares? A mesma coisa feita pelos antecessores Lula e Fernando Henrique. Mas só ela estaria posta em julgamento. Naquele início de maio, sacramentara-se a abertura do processo, segundo decisão do Senado. Não havia jeito. Era continuar lutando quando o processo fosse instaurado em definitivo no Senado.

Há uma máxima que aprendemos – e quem trabalhou com Dilma Rousseff aprendeu rapidamente –, que é preciso estar à altura do fim. Qualquer fim. Eis uma das razões por que o sentimentalismo instalado nos andares do Palácio do Planalto era brecado à porta do gabinete presidencial, no terceiro andar. Não por alheamento da presidente ao processo inexorável – como alguns repórteres e colunistas repetiriam equivocadamente – e sim pela paulatina convicção do que se sacramentava. Acostumada às batalhas políticas, ideológicas e mesmo pessoais, a presidente não abria espaço para qualquer desmoronamento emocional. Luta, sim. Choro, dificilmente. Mas por mais preparados para aquele momento que inevitavelmente chegaria, a emoção estava no ar naquela quinta-feira de outono.

Doze de maio: o dia de luto e melancolia, silenciosamente lento, era algo incomum para os que enfrentaram dias intensos, acelerados e estressantes na rotina do Palácio do Planalto. Vivera-se uma sucessão inacreditável – e fatigante – de crises, derrotas, algumas vitórias e reviravoltas, num círculo inesgotável de ataques e reveses. A crise econômica crescente, o aumento do desemprego, o déficit fiscal em patamares inéditos, os problemas financeiros dos estados, as tantas fases da Operação Lava Jato, os vazamentos – sempre seletivos – de depoimentos e propostas de delações premiadas, as manobras regimentais de Eduardo Cunha, as tramas forjadas no Palácio do Jaburu (residência oficial do vice-presidente), inicialmente silenciosas e depois protagonizadas à luz do dia, a tragédia de Mariana, o surto de zika e dengue país afora, as previsões sombrias e catastróficas sobre os Jogos Olímpicos, o afastamento de partidos aliados ao governo, a polêmica sobre a tentativa frustrada de fazer ministro o ex-presidente Luiz Inácio Lula da Silva, a batalha na comissão de impeachment na Câmara e a votação, no plenário da Casa, pela abertura do processo, decisão chancelada na véspera pelo plenário do Senado. A lista era imensa. Um governo em estado de crise permanente, mergulhado em problemas surgidos por obra e graça de uma oposição forte e implacável, favorecidos por uma sucessão de erros da presidente e de seus aliados.

Na rotina de gestão de crises do Palácio, nós, auxiliares de Dilma Rousseff, nos acostumamos à falta de condições para respirar com alívio e à ausência de tempo para lamúrias. Mas naquele dia haveria tempo para chorar. A rotina mudara. Não haveria *briefing* matinal para a presidente nem agenda oficial (muito menos a reservada, aquela real, que ocorria à margem da divulgação para os jornalistas, muitas vezes à margem dos próprios assessores da presidente). Não haveria surpresas de última hora, quando jornais, revistas e TVs buscavam a Secretaria de Imprensa ou diretamente os ministros instalados no Palácio para ouvir o outro lado de denúncias ou notícias negativas para o governo – não raro faziam isso a poucos minutos do fechamento de suas edições, o que exasperava a presidente, o secretário de imprensa e quem mais lidasse com a resposta em questão.

Desde cedo, a principal preocupação era com a liturgia da saída de Dilma. A previsão era que um representante do Senado chegasse ao Palácio do Planalto às 10 horas para entregar-lhe a notificação de que o processo de impeachment estava instalado e ela precisaria afastar-se temporariamente. Na véspera, a presidente desistira de descer a rampa do Planalto, como chegaram a propor-lhe. O ex-presidente Lula a convencera a não sair desta forma, sob pena de cravar a imagem de que sua saída era definitiva. "Saia pela porta da frente, no térreo, que estarei esperando você", disse-lhe. Dilma decidira: receberia a notificação em seu gabinete; desceria ao segundo andar, onde faria uma declaração à imprensa; sairia pela porta da frente ao lado dos seus companheiros e companheiras de luta contra o impeachment; caminharia junto a militantes e discursaria num palanque montado naquela manhã.

Por volta das 8 horas, no entanto, um primeiro susto: policiais militares convocados pelo governador do Distrito Federal, Rodrigo Rollemberg, não só fechavam a passagem para a Esplanada dos Ministérios, como impunham um vistoso e rigoroso controle de detectores de metal para quem quisesse seguir adiante. O resultado: uma lentidão inquietante que desanimaria muita gente. Assim ia para o ralo a previsão de reunir milhares e milhares de pessoas para acompanhar a saída da presidente, apoiá-la e denunciar o golpe. Passou-se a temer que apenas gatos-pingados conseguissem enfrentar a barreira policial e ocupassem os espaços onde militantes, jornalistas e autoridades públicas ouviriam o discurso de despedida. Jaques Wagner, o ministro-chefe da Casa Civil transformado em ministro-chefe do Gabinete Pessoal da Presidência quando Lula fora nomeado ministro, tentou intervir. Queria cumprir o que ele e a presidente haviam acertado com os movimentos sociais. Jaques pretendia autorizar a entrada de cerca de cem mulheres para abraçar Dilma e levar flores. Ouviu do novo comandante a seguinte frase: "O senhor já não é mais ministro." Não haveria vida fácil até o último momento.

Dilma Rousseff enfrentou dissabor semelhante. Deixou a residência oficial do Alvorada num comboio de cinco carros, como de praxe. Na altura de um viaduto que dava acesso ao Eixo Monumental e à praça dos Três Poderes, a comitiva foi parada numa barreira oficial. Guardas mandaram o grupo seguir por outra via que levaria aos fundos do Palácio do Planalto. "Aqui ninguém passa", disse em tom firme um policial militar do Distrito Federal, diante dos motoristas do comboio presidencial. Mesmo informado de que a presidente estava num dos carros, o PM não recuou. Incredulidade. Um motorista relatou mais tarde a uma repórter do jornal *O Estado de S. Paulo* que percebeu espanto, irritação e depois tristeza por parte da presidente. Lorota. Espanto e irritação, sim. Nervosismo por estar parada na barreira a caminho do Planalto, também. Tristeza? Poesia do policial ou da repórter. No fim das contas, o comboio teve mesmo de recuar, dando uma breve volta pela Vila Planalto até que recebesse autorização para passar. Passou.

Antes disso, funcionários, assessores comissionados, parlamentares, ministros e aliados em geral começaram a encher os espaços do terceiro andar, à espera de Dilma e de seus notificadores. Conversavam, abraçavam-se, choravam, riam, lembravam os últimos episódios que os levaram até ali. Despediam-se antecipadamente, compartilhavam os planos para o dia seguinte (quase ninguém ali sabia ao certo o que faria ao deixar o governo). Outros resolviam problemas de última hora. Da organização da saída até a articulação para que saísse, à tarde, uma edição extra do *Diário Oficial da União*. O motivo: muita gente amanhecera sem estar no *DO* como exonerado, ou pela própria presidente, ou por seus chefes imediatos. Havia uma exoneração em massa a cumprir – e não apenas os ministros, que amanheceram não mais ministros. Os servidores da Casa Civil não haviam dado conta no dia anterior para que a saída fosse executada pela chefe, e não pelo presidente interino que embarcaria em breve. Não queremos ser demitidos por um presidente golpista, um usurpador da democracia, pensavam muitos.

A rotina daquele dia seria diferente, mas Dilma manteve sua pedalada matinal, como de hábito. Chegou pouco antes das 10 horas – precisamente 9h48. Vestia um *tailleur* branco e, sob ele, uma blusa preta. Estava tranquila, serena, como em quase todas as horas dos últimos dias. Imediatamente convocou alguns ministros e assessores ao seu gabinete, esvaziado desde a segunda-feira anterior de seus documentos e pertences pessoais, entre os quais se incluíam os retratos de sua filha Paula e de seus netos, Gabriel e Guilherme. Conversava com seu círculo mais próximo: o advogado-geral da União, José Eduardo Cardozo, os ministros (já exonerados) Jaques Wagner e Ricardo Berzoini e o assessor especial e seu braço direito de longa data, Gilles Azevedo. Dilma reclamou algumas vezes da demora para a chegada do documento que a notificaria do afastamento por até 180 dias. Questionou o chefe do Cerimonial, Renato Mosca, sobre os procedimentos adotados para a saída. Perguntou-me se estava tudo pronto no Salão Leste, no segundo andar, onde faria a declaração para a imprensa. Estava.

Por volta das 11 horas, o emissário do Senado, Vicentinho Alves (PR--GO), apareceu no gabinete presidencial. A presidente chamou todos os ministros. Um a um, eles entraram no gabinete. Uns sérios e contritos. Outros de cara leve e aliviada. Mais alguns com ar desolado. Todos tristes. Dilma parecia querer resolver aquilo com rapidez. Conduziu o senador Vicentinho à sua mesa de trabalho e assinou o documento em pé. O já ex-ministro Miguel Rossetto (Trabalho e Previdência Social) apressou-se e aplaudiu o momento. "Viva a democracia", bradou em voz alta. "Tá maluco?", Dilma perguntou-lhe de pronto, com o cenho franzido e o olhar severo habitual quando repreende um auxiliar. Ministros, assessores, secretárias, secretários, ajudantes de ordem, difícil achar alguém que não tivesse se acostumado com apupos, esculachos e pedradas presidenciais. Desferidos com ou sem dedo em riste, geravam o mesmo efeito sobre o alvo. Dificilmente, porém, seu gesto teria caráter pessoal. Rossetto se desculpou. "É o nervosismo, presidente", explicou.

O documento, batizado "CONTRAFÉ", dizia:

> Eu, Dilma Vana Rousseff, recebi, nesta data, MANDADO DE INTIMAÇÃO, assinado pelo Presidente do Senado Federal, instruído em cópia integral digitalizada do processo por crime de responsabilidade tramitado na Câmara dos Deputados e da Denúncia por Crime de Responsabilidade n° 1, de 2016, em trâmite no Senado Federal, entregue pelo Senhor Senador Vicentinho Alves, Primeiro-Secretário do Senado Federal.
>
> Brasília/DF, em 12 de maio de 2016.

Dilma fez um único comentário: "Eu fico com uma cópia?", perguntou ao primeiro-secretário do Senado. Tinha os olhos emocionados, mas naquele momento não chorou. "Ela estava tranquila", reconheceu mais tarde o próprio Vicentinho Alves. Dilma também não olhou o relógio nem fez uma pausa significativa para demarcar o momento. Da entrada e saída da pequena comitiva do Senado passaram-se pouco mais de cinco minutos. Tereza Campello, que ocupou o Ministério do Desenvolvimento Social, chorava muito. Eleonora Menicucci (da Secretaria de Políticas para as Mulheres), também de branco como Dilma, emocionadíssima. (Também presa e torturada durante a ditadura, colega de turma e vizinha de Dilma nos anos de faculdade, Eleonora ficaria o tempo inteiro ao lado da presidente, inclusive no momento da declaração para a imprensa.) Aldo Rebello (Defesa), Aloizio Mercadante (Educação), Nelson Barbosa (Fazenda), Kátia Abreu (Agricultura) – todos atentos e solenes.

Assinado o documento, Dilma cumprimentou e abraçou cada um dos presentes. Para uns, sorria, serena. Para outros, demonstrava um pouco mais da emoção que sentia naquele momento. Havia nos seus gestos e olhares um misto de "vamos para a luta", "estou cansada, mas a disputa não termina aqui", "que alívio por encerrar este capítulo, que venha o próximo" e "vamos embora". Frases não ditas, mas escancaradas conforme a interpretação do interlocutor. "Agora vamos. Tenho de descer", disse-lhes Dilma, após andar pelo gabinete e cumprimentar um a um. Seria a última ordem. Todos desceram, ficando mais um pouco com Dilma, Cardozo, Jaques, Berzoini e Gilles. Ela desceu ao segundo andar acompanhada de algumas companheiras de luta contra a ditadura militar. Na porta do elevador esperavam outros auxiliares, entre funcionários do Palácio, assessores, integrantes do Cerimonial. Muitos choros e selfies.

O Salão Leste estava abarrotado. Do lado oposto ao púlpito da presidente já afastada, cinegrafistas, repórteres, colunistas e curiosos se espremiam entre câmeras. Ao lado de Dilma, ministros, parlamentares, assessores e convidados também se apertavam. Era pouco espaço para muita gente. "Bom dia, senhoras e senhores, bom dia, parlamentares, ministros, bom dia a todos aqui", disse Dilma ao microfone. Ela começou informando "a todos os brasileiros e a todas as brasileiras que foi aberto pelo Senado Federal processo de impeachment" e determinada a suspensão do exercício do seu mandato pelo prazo máximo de 180 dias. Seu hábito em relação aos discursos fora plenamente seguido naquela declaração: ler, reler e mexer em cada linha, em cada parágrafo. Mas dessa vez ela dedicara mais tempo à tarefa. Dilma passara a manhã do dia anterior trabalhando no Palácio da Alvorada, ao lado da assessora especial Sandra Brandão, que coordenava a produção de textos e discursos e era a sua principal fonte de dados do governo, ruminando o que diria naquela quinta--feira. Foi uma declaração forte e melhor do que o discurso improvisado que fez aos militantes em seguida, na frente do Palácio do Planalto.

Foram pouco mais de 15 minutos de discurso. Chamou o processo de "farsa jurídica" e de "golpe". "Posso ter cometido erros, mas não cometi crimes. Estou sendo julgada injustamente por ter feito tudo o que a lei me autorizava a fazer", disse. Em outro trecho, afirmou: "Confesso que nunca imaginei que seria necessário lutar de novo contra um golpe no meu país. Nossa democracia é jovem, feita de lutas, feita de sacrifícios, feita de mortes. Não merece isso." Chamou seus apoiadores à luta: "Aos brasileiros que se opõem ao golpe, independentemente de posições partidárias, faço um chamado: mantenham-se mobilizados, unidos e em paz. A luta pela democracia não tem data para terminar, é luta permanente que exige nossa dedicação constante."

Dilma pôs o dedo verbal em riste contra o governo que nasceria horas depois:

> O risco, o maior risco para o país nesse momento, é ser dirigido por um governo dos sem voto, um governo que não foi eleito pelo voto direto da população brasileira, um governo que não terá legitimidade para propor e implementar soluções para os desafios do Brasil. Um governo que pode se ver tentado a reprimir os que protestam contra ele. Um governo que nasce de um golpe, um impeachment fraudulento, de uma espécie de eleição indireta. Um governo que será ele próprio a grande razão para a continuidade da crise política em nosso país.

E concluiu com a mensagem de luta: "A democracia é o lado certo da história, jamais vamos desistir, jamais vou desistir de lutar."

Dilma expunha e sintetizava ali o conjunto de mensagens-chave que enunciara e repetira exaustivamente nos atos públicos que ocorreram dia sim, dia não nas semanas que antecederam a decisão do Senado. Naquelas semanas, mesmo personagens públicas que eram declaradamente críticas a Dilma e a seu governo demonstraram apoio contra o processo. Na sua declaração à imprensa, Dilma sintetizava os sentidos dos seus últimos atos e discursos: o sentimento de injustiça; a ausência de crime de responsabilidade que motivasse um impeachment; a denúncia do golpe em curso; a ilegitimidade do presidente e do governo que a substituiria; e a conclamação para a luta pela democracia. Até o jornal *The New York Times*, insuspeito de esquerdismo para um país cuja imprensa tem obsessão em saber e reproduzir o que escreve e o que pensa a mídia internacional, expôs a injustiça: a destituição era uma punição desproporcionalmente severa frente às faltas administrativas que teriam sido cometidas pela presidente.

Para quem estava ao lado de Dilma – e não contra ela –, a saída do Palácio do Planalto foi emocionante e apoteótica. Enquanto o grupo que acompanhou a declaração para a imprensa, no segundo andar, seguia com ela rumo à saída e chegava ao lado de fora, militantes do PT, da CUT, do MST e de outros movimentos sociais gritavam. Não eram os milhares que se desejava – o controle na Esplanada dos Ministérios brecou muita gente, insista-se –, mas faziam o barulho devido. Gritavam "Fora Temer". Como acertaram de véspera, Dilma e Lula se encontraram no térreo, à porta da frente do Palácio do Planalto. Deram-se um abraço forte, emocionado. Mas Lula estava bastante abatido. Andara triste e chateado nos últimos dias. Chegou a Brasília na terça-feira. Jantou com Dilma no Palácio da Alvorada junto com o presidente do PT, Rui Falcão, Jaques Wagner e Ricardo Berzoini. Na quarta, quando o Senado votou o impeachment numa sessão de mais de vinte horas, Lula não estava ao lado da presidente para acompanhar a votação pela televisão, como fizeram semanas antes, quando a decisão estava com a Câmara dos Deputados. Aliás, nem Dilma assistiu pela TV. Jantou sem a companhia de ministros e assessores e foi dormir por volta das 23 horas. Nos dias que antecederam a saída, Lula brigou até o fim pelo mandato de Dilma. Teve raiva, sentiu tristeza, gritou, brigou, chorou.

Naquela quinta-feira de despedida, porém, parecia apático em sua aparição pública. Chegou ao Planalto antes de Dilma receber a notificação do Senado. Não quis subir ao terceiro andar. Myrian Pereira, a secretária-adjunta de Imprensa da Presidência, acompanhou o ex-presidente pelos corredores do subsolo e do térreo. Instalou-o numa sala, viu o abraço emocionado de funcionários do Palácio, deu-lhe papel para enxugar o rosto suado pelo calor. Lula viu o discurso de Dilma em uma pequena sala próxima à garagem. Manteve-se reservado até receber a presidente afastada à porta do Palácio.

Também não queria subir no palco montado para Dilma e ministros. Parecia disperso enquanto Jaques Wagner e Carlos Gabas (que ocupara o Ministério da Previdência Social) o chamavam. Eu mesmo bati em seu ombro para alertá-lo de que o chamavam. Mas Lula só capitulou diante da insistência de Jaques.

"O que mais dói é essa situação que estamos vivendo agora, a inominável dor da injustiça e da traição", improvisou Dilma, ao lado do seu padrinho político, ouvindo gritos e palavras de ordem simultâneos dos militantes. Suas palavras eram mais de luta do que de melancolia. Mas admitiu: "Este dia é o mais triste de minha vida." Prometeu resistir "até o fim". Depois do discurso, novo cumprimento aos militantes que se acotovelavam para falar com ela. Calor, suor, gritos e emoção ajudavam a aumentar a temperatura já elevada.

Como presidente, Dilma sempre cresceu nos momentos mais dramáticos da crise. Mantinha-se forte. Não balançou um segundo sequer na solenidade de despedida no Palácio do Planalto. Seguiu firme cumprimentando um a um até chegar ao lado leste do Palácio, onde estava o comboio que a levaria ao Alvorada. Dilma partiu, Lula foi logo em seguida, depois de ser perseguido por militantes, admiradores e jornalistas. Seu assessor de imprensa, José Chrispiniano, chegou a dar uma meia chave de braço num dos jornalistas que ousou avançar demais sobre Lula. Pouco antes de entrar no carro e seguir para o almoço com a sucessora, o ex-presidente tentou despistar: "Agora eu vou pra casa."

* * *

Depois que Dilma Rousseff se retirou, por volta das 13 horas, houve um breve hiato na Presidência da República. Michel Temer, o vice-presidente que vivera às turras com a presidente – primeiro uma guerra sutil, depois uma conspiração à luz do dia –, tomaria posse como presidente interino naquela tarde. Funcionários comissionados deixavam os gabinetes e faziam suas últimas despedidas. Era preciso sair dali o quanto antes, para evitar o constrangimento de encontrar o novo grupo. Jornalistas cumprimentavam a velha guarda. Agradecia-se a eventuais colaborações mútuas durante o processo longo, intenso e tenso que foi a crise do governo Dilma. Nesses momentos, apesar da rudeza do trabalho, apesar do confronto permanente existente entre governo e imprensa, apesar da distância natural e profissional que é preciso manter, selam-se amizades. Ou sacramentam-se inimizades. Daquela vez não seria diferente.

Uns saíam, outros chegavam para a posse de Temer. A imagem mais chocante foi a retirada imediata das fotos de Dilma Rousseff das paredes dos gabinetes do Palácio. Julia Duailibi, repórter da revista *Piauí*, registrou o momento: à medida que os convidados se aglomeravam no segundo andar para a cerimônia de posse, um funcionário deixava o quarto andar, onde ficam a Casa Civil e a Secretaria de Governo, com dois retratos oficiais da presidente afastada. Ele contou a Julia ter ordens para retirar todas as fotos de Dilma que decoravam os gabinetes da Esplanada dos Ministérios. "As imagens vão ser substituídas pelas do presidente interino", avisou. As fotos de Dilma mostravam a presidente 20kg mais gorda, porque fora feita em 2011, muito antes da dieta Ravenna, que seguira fielmente mesmo nos momentos mais agudos da crise. Ela não quis trocá-las. Rechaçou a ideia do seu fotógrafo oficial, Roberto Stuckert Filho, para não dar munição à imprensa e aos inimigos – não queria dar "ares de mudança" para os últimos dias como presidente.

A partir dali, Dilma enfrentaria, do Alvorada, o processo de impeachment no Senado. Não voltaria ao Planalto. A remoção das fotos seria definitiva já naquele 12 de maio.

Capítulo 2

O CANDIDATO QUE NÃO SOUBE PERDER

Após ser derrotado na disputa presidencial mais acirrada desde a redemocratização do Brasil, o PSDB de Aécio Neves, Fernando Henrique Cardoso e José Serra esperou apenas quatro dias para gritar oficialmente contra o resultado das urnas. O segundo turno e o anúncio da reeleição da presidente Dilma Rousseff ocorreram no domingo, 26 de outubro de 2014. Era quinta-feira, dia 30, quando os tucanos entraram no Tribunal Superior Eleitoral com um pedido de "auditoria especial" no resultado das eleições. Fora uma disputa renhida, culminada com a vitória apertada da presidente Dilma Rousseff, com 51,65% dos votos válidos, ante 48,36% obtidos pelo candidato do PSDB, Aécio Neves. Em outros números: 54,5 milhões de votos destinados a ela contra 51 milhões a ele. Uma proximidade histórica que deixou tucanos, antipetistas e antidilmistas inconformados.

Ali estava a origem de um impeachment em busca de um motivo, como a presidente definiu na reta final de seu governo as sucessivas tentativas de seus adversários de apeá-la do poder. No fundo, o processo de impedimento da presidente reeleita começou naquele 30 de outubro para a oposição em geral e para os tucanos em particular. A ação – assinada pelo coordenador jurídico nacional do PSDB, o deputado Carlos Sampaio, de São Paulo – pedia que fosse autorizada a criação de uma comissão formada por técnicos indicados pelos partidos políticos para a fiscalização de todo o processo eleitoral. A peça era marota: por um lado, aliviava a barra do TSE, argumentando que não punha em dúvida a lisura da apuração e o trabalho da Justiça Eleitoral; por outro, justificava o gesto com "denúncias e desconfianças" surgidas após o anúncio da vitória de Dilma, especialmente nas redes sociais. Era a primeira ação jurídico-eleitoral da história do país que questionava o resultado de uma eleição presidencial com base em posts publicados nas redes sociais.

Carlos Sampaio ia além ao tentar dar um verniz republicano à intenção tucana: afirmava não se tratar de recontagem de votos, mas de uma medida para evitar que teorias de existência de fraude no processo continuassem a ser alimentadas, pondo em xeque a posição adequada da Justiça Eleitoral. "Nas redes sociais", dizia o texto, "os cidadãos brasileiros vêm expressando (...) descrença quanto à confiabilidade da apuração dos votos e à infalibilidade da urna eletrônica, baseando-se em denúncias das mais variadas ordens". Apontava ainda, como elementos adicionais para "fomentar ainda mais as desconfianças", a diferença de três horas entre o encerramento da votação no Acre e os demais estados que seguem o horário de Brasília e a margem apertada entre os dois candidatos. A auditoria se destinava a "dissipar quaisquer dúvidas sobre a intervenção de terceiros na regularidade do processo".

A estratégia de pôr em dúvida a legitimidade do mandato de Dilma Rousseff se consumou nos dias, semanas e meses seguintes. Na primeira semana de novembro de 2014, ao retornar a Brasília após alguns dias de descanso, o candidato derrotado tentou ser duro – e conseguiu. Numa reunião com aliados, prometeu fazer "a mais vigorosa oposição a que este Brasil já assistiu". Mais tarde, na tribuna do Senado, fez seu primeiro discurso na condição de líder da oposição, com plenário cheio e galerias lotadas. Criticou com dureza a campanha do PT e definiu seu papel a partir dali: "Ainda que por uma pequena margem, o desejo da maioria dos brasileiros foi que nos mantivéssemos na oposição, e é isso que faremos. Faremos uma oposição incansável, inquebrantável e intransigente na defesa dos interesses dos brasileiros. Vamos fiscalizar, cobrar, denunciar." Impossível ao governo pensar que foi tomado de surpresa. O recado estava claro.

Um mês depois, em entrevista ao jornalista Roberto D'Ávila, da GloboNews, Aécio foi ainda mais enfático, ao dizer que perdeu a eleição para uma "organização criminosa". Afirmou: "Na verdade, eu não perdi a eleição para um partido político. Eu perdi a eleição para uma organização criminosa que se instalou no seio de algumas empresas patrocinadas por esse grupo político que está aí." Ainda em clima de disputa eleitoral, o tucano também fez duras críticas à campanha de Dilma Rousseff e do PT: "Essa campanha passará para a história. A sordidez, as calúnias, as ofensas, o aparelhamento da máquina pública, a chantagem para com os mais pobres, dizendo que nós terminaríamos com todos os programas sociais (...). Essa sordidez para se manter no poder é uma marca perversa que essa eleição deixará."

Na mesma semana da declaração de Aécio, o jornalista Ricardo Kotscho, secretário de Imprensa da Presidência entre 2003 e 2004 (no primeiro mandato de Lula), deu-lhe um pito. Escreveu no seu blog: "Algum amigo precisa urgentemente avisar o candidato derrotado Aécio Neves e seu mentor Fernando Henrique Cardoso que a eleição já acabou, os palanques foram desmontados e a vida continua. Quem ganhou, ganhou; quem perdeu, perdeu. Agora, para tentar voltar ao poder novamente, é preciso esperar a próxima eleição presidencial, daqui a quatro anos. É assim que acontece nas democracias." Para Kotscho, as declarações do tucano em nada contribuíam para "desmontar as orquestrações golpistas dos que fazem protestos nas ruas defendendo o impeachment de Dilma". Ao contrário, escreveu ele, não contribuía "nem mesmo para o seu futuro político como novo líder da oposição (...). Não foi esse o Aécio que conheci nas lutas pela redemocratização do país".

Aquele Aécio que o ex-secretário de Imprensa de Lula conhecera pertencia à linhagem de políticos mineiros marcados pela conciliação – a começar pelo seu avô, Tancredo Neves, de quem foi secretário pessoal. "Na política vence quem mostra mais determinação e blefa melhor", dizia Tancredo, vitorioso no jogo da transição com o blefe que lhe custou a vida. Outra de suas máximas: "Na política, são as ideias e não os homens que brigam." Costumava dizer que lhe dava mais alegria fazer um bom acordo do que derrotar um adversário – a marca característica da conciliação que fez a fama dos políticos mineiros. Foi a forma jeitosa de fazer política, aprendida com o avô, que levou Aécio a se aproximar do PT em 2002.

O então candidato ao governo de Minas falaria assim sobre sua relação com o partido de Lula e de Dilma: "Minha relação com o PT é excepcional. O partido esteve comigo em todas as paradas." Dois meses depois, Aécio e Lula apareciam reunidos pelo então governador do Estado, Itamar Franco, no centenário de Juscelino Kubitschek. Ao saudar Lula, Aécio antecipou o calendário e chamou-o de "caríssimo presidente Luiz Inácio Lula da Silva". Mesmo sendo ágil para consertar – "do Partido dos Trabalhadores", emendou –, estava claro que o tropeço tinha muito a ver com a proximidade de ambos naquela que foi a primeira eleição vitoriosa de Lula para a Presidência da República, depois de três tentativas frustradas. No segundo turno, quando o mercado financeiro ardia em chamas com a perspectiva da eleição petista, Aécio se recusou a endossar o discurso do medo adotado contra Lula – para desespero e raiva do então candidato do PSDB, José Serra.

A tática do conciliador ficou no passado. O Aécio que se opunha a Dilma Rousseff revelou-se radicalmente diferente daquele que namorava o PT durante a onda vermelha da campanha presidencial de 2002. Em julho de 2015, logo após se reeleger presidente do PSDB, chegou a chamar a presidente de "patética". (No mesmo dia cometeu duas gafes que se tornaram notícia. À Rádio Itatiaia, afirmou que o PSDB era "o único partido que faz oposição *ao Brasil*"; horas depois, à Rádio Gaúcha, disse que a convenção tucana o "reelegeu como presidente da República".) Naquele momento, Aécio dizia que o PSDB tinha a responsabilidade de encontrar saídas jurídicas para a destituição da presidente.

Essa busca por uma saída jurídica para destituir a presidente levou Aécio e o PSDB a defender estratégias diferentes, conforme a ocasião. Primeiro se recorreu ao TSE, pondo em dúvida a eleição que deu mais quatro anos de mandato a Dilma Rousseff. Depois, após uma série de protestos nas ruas contra o mandato da presidente, o candidato derrotado reuniu Roberto Freire (PPS), José Agripino Maia (DEM), Paulo Pereira da Silva, o Paulinho da Força (SD) e José Luiz Penna (PV) para tentar coordenar suas ações a respeito do pedido de impeachment de Dilma. A defesa a partir dali seria o impeachment via Congresso. Aécio e PSDB ainda tinham dúvidas naquele momento se a melhor estratégia seria recorrer mesmo à Justiça Eleitoral, onde passou a tramitar uma ação que pedia a cassação da chapa completa de 2014, Dilma-Temer (e não apenas a presidente).

O tempo passou até que, em março de 2016, o PSDB fechou questão com o PMDB: preferia impeachment via Congresso, e não o TSE, para tirar Dilma Rousseff da Presidência. Num jantar oferecido pela cúpula do PSDB a caciques do partido de Michel Temer, em Brasília, realizado no apartamento do senador cearense Tasso Jereissati, os convidados tucanos e peemedebistas decidiram rejeitar esperar a troca de governo pela via da Justiça Eleitoral – que poderia cassar tanto a presidente Dilma quanto o vice Michel Temer. Pelo PSDB, além do próprio Tasso, sentaram-se à mesa do jantar Aécio Neves, Aloysio Nunes Ferreira, Antonio Anastasia, Cássio Cunha Lima e Ricardo Ferraço. Pelo PMDB, três representantes: os senadores Renan Calheiros, Romero Jucá e Eunício Oliveira.

Renan foi o único que se manteve em dúvida sobre a saída a ser definida, mas a decisão pareceu tomada por maioria. Havia duas razões essenciais para a escolha naquela noite de 9 de março: primeiro, se o TSE cassasse Dilma em 2016, haveria convocação de eleições diretas em noventa dias. O resultado, segundo a cúpula dos dois partidos, poderia levar um aventureiro ao Palácio do Planalto, com um discurso da "antipolítica". Também se falou na possibilidade, indesejada para todos no jantar, de vitória de Marina Silva (Rede), que encarnaria uma parte do voto antiestablishment. A segunda razão: o calendário do TSE indicava que o caso Dilma-Temer só seria concluído mesmo em 2017. Com tal hipótese, haveria eleição indireta de um novo presidente, escolhido pelo Congresso. Essa forma de sucessão até poderia agradar a tucanos e peemedebistas. Oficialmente, para consumo externo, diziam que o Brasil, porém, não suportaria até 2017 sem uma solução na sua governança. Nos bastidores – ou no que se pode chamar de vida real de Brasília –, a cúpula do PSDB, majoritariamente aecista, achava que uma eleição indireta poderia favorecer José Serra. E a cúpula do PMDB temia, por motivos óbvios, perder o peso que teria se Michel Temer fosse alçado à Presidência em caso de impedimento apenas de Dilma Rousseff.

Estava decidido o roteiro para tirar a presidente: a solução para a crise política era o impeachment, chancelado pelo Congresso.

"Eles nunca souberam perder. Jamais conseguiram aceitar a derrota", repetiria mais tarde Dilma nas reuniões internas do Palácio do Planalto e do Palácio da Alvorada, em discursos públicos ou em entrevistas a jornalistas, sobretudo quando a paralisia já tomara conta do governo, sua gestão descia ladeira abaixo, e o impeachment se formara com nitidez no horizonte. Mas sua primeira declaração com este tom deu-se um ano depois da reeleição e sete meses antes de ser afastada pelo Congresso. Numa noite quente de 13 de outubro de 2015, ela foi a São Paulo participar da abertura do 12º Congresso da Central Única dos Trabalhadores (CUT) e fez seu primeiro discurso duro de todo o processo. Até poucas horas antes de embarcar em Brasília, a presidente relutava em confirmar sua presença, enquanto jornalistas invadiam a Secretaria de Imprensa da Presidência em busca de um sinal de vida sobre sua participação. Versões distintas apareciam a todo momento naquele dia: ela iria para deflagrar, enfim, a campanha em defesa do seu mandato; ela não iria para não assustar os mercados; ela iria para promover, em definitivo, uma "guinada à esquerda" em seu governo; ela não iria porque estava estremecida com o ex-presidente Lula; ela iria porque, enfim, se reaproximara do ex-presidente Lula.

A presidente sempre demorou para confirmar certas decisões, ainda que já tivesse consolidado uma escolha em sua cabeça. Era uma demora típica de Dilma, que se dedicava a analisar em pormenores, com auxiliares mais próximos, as vantagens e desvantagens de comparecer a algum evento – e mais ainda os efeitos de uma confirmação antecipada. A indecisão produzia seu efeito mais imediato: os jornalistas enlouqueciam à espera de uma notícia, o Cerimonial da Presidência enlouquecia à espera da confirmação do roteiro da viagem, e os assessores enlouqueciam à espera de uma notícia que teimava em ser represada. A regra valia de maneira ainda mais enfática para aquele evento da CUT, marcadamente sindicalista, marcadamente petista, marcadamente reativo à campanha contra ela.

Dilma foi – apesar de, em momento algum, a viagem figurar como parte de sua agenda oficial. Recebida por cerca de 2.500 sindicalistas e trabalhadores que lotavam o Palácio de Convenções do Anhembi, na zona norte de São Paulo, com o bordão que se tornaria nos meses seguintes a marca registrada da luta contra o impeachment – "Não vai ter golpe" –, a presidente protagonizou um dos seus discursos mais duros, com palavras e expressões calculadamente fortes para atacar o processo que se delineava. Alguns jornalistas, mesmo escancaradamente críticos à presidente, reconheceram que foi um dos seus melhores discursos até ali. Ela lembrou que os ataques dos opositores começaram ao final do segundo turno da eleição, "por inconformismo" com a derrota: "O que antes era inconformismo se transformou num claro desejo de retrocesso político. Isso é um golpismo escancarado." Mais: "Na busca incessante de encurtar seu caminho ao poder, tentam dar um golpe. Querem construir de forma artificial o impedimento de um governo eleito pelo voto direto." Era a primeira vez que a presidente se referia a "golpe" numa fala pública.

Contra uma oposição incapaz de aceitar a derrota na eleição, ela perguntou quem tinha "biografia limpa" para atacar a sua honra. E citou uma expressão sugerida pelo jornalista Mario Marona, um dos principais redatores de discursos da presidente: "moralistas sem moral", uma qualificação que ganharia as manchetes na manhã seguinte. Foi uma das melhores criações do gaúcho Marona, um experiente jornalista que conhecera a presidente no Rio Grande do Sul, quando ambos integravam o PDT de Leonel Brizola. Na primeira campanha de Dilma para a Presidência, em 2010, dividi com Marona a produção dos discursos da candidata. O jornalista continuou o trabalho com ela na Presidência. Já no Palácio, um mandato e cinco anos depois, ouvi algumas vezes da presidente inúmeros elogios ao amigo e colaborador gaúcho. Dilma admirava a inteligência de Marona, sua memória e sua capacidade de transformar em frases de efeito o pensamento dela própria. A tradução em palavras soou forte no discurso na CUT: "A sociedade brasileira conhece os chamados moralistas sem moral. E conhece porque o meu governo e o governo do presidente Lula proporcionaram o mais enfático combate à corrupção de nossa história. Eu me insurjo contra o golpismo. Quem tem força moral, reputação ilibada e biografia limpa para atacar a minha honra?"

Não se dizia explicitamente, não se dava nome aos bois, mas ficava claro a partir dali: moralistas sem moral eram os seus algozes da oposição, especialmente o presidente da Câmara, Eduardo Cunha – engolfado por diversas denúncias, incluindo contas não declaradas no exterior e gastos incompatíveis com sua renda; o vice-presidente Michel Temer e os peemedebistas que o rodeavam; e Aécio Neves, o candidato que não soube perder.

Capítulo 3

FERIDAS ABERTAS POR UM DUELO DE INSULTOS

A tese virou clichê: o Brasil saiu dividido da disputa presidencial de 2014, aquela que garantiu a reeleição à presidente Dilma Rousseff por uma margem apertadíssima contra o candidato do PSDB, Aécio Neves. A ideia de um Brasil partido ao meio já tivera seu ensaio na eleição de 2006, quando o então presidente Luiz Inácio Lula da Silva derrotou outro candidato tucano, Geraldo Alckmin. Naquele ano, falava-se que o Brasil mais desenvolvido, mais informado e mais politizado votara em Alckmin; o Brasil arcaico, pobre, analfabeto e desinformado optara por conceder mais quatro anos a Lula e ao PT, na época atingidos pela crise do mensalão. Em 2016, essa divisão foi dada como definitiva com a proximidade dos 51,65% de votos em Dilma e 48,36% em Aécio, ou 54,5 milhões recebidos nas urnas por ela e 51 milhões por ele – e mais do que isso, com a agressividade explícita que marcou a campanha presidencial.

Tão forte a propagação desse lugar-comum que, no primeiro discurso e nas primeiras entrevistas à imprensa, a presidente falou em conciliação e diálogo – mesmo rejeitando a tese de um Brasil saído das urnas dividido. "Esta presidente está disposta ao diálogo e este é o meu primeiro compromisso", afirmou, após a confirmação de sua reeleição, ainda no domingo, dia 26 de outubro de 2014. Duas noites depois, em entrevista ao *Jornal do SBT* e ao *Jornal da Band*, disse estar aberta ao diálogo com todos os setores, com Aécio e com Marina Silva. Frases dela: "É necessário que a gente crie pontes no Brasil. Não precisa ter as mesmas posições. Quando falo em união, eu não quero aquela união que torna tudo pasteurizado. Quero aquela união em que as pessoas mantenham suas diferenças de opinião, que possam agir de forma diversificada e que, ao mesmo tempo, conversem." Em pronunciamento rápido, o candidato derrotado dizia que a prioridade número um da presidente deveria ser "unir o país".

O ambiente instalado parecia querer evitar qualquer motivo para comemoração de Dilma e seu partido, a ponto de, em sua edição de 12 de novembro daquele ano, a capa da revista *Veja* estampar uma presidente com olhar para baixo e mão no queixo, negativamente pensativa. E o título: "A solidão da vitória". Na tese da revista, "sem saber o que fazer na economia, pressionada pelo PT e esnobada pelos aliados, a presidente se isola no palácio". A reportagem, assinada por Marcelo Sakate, dizia que, depois de abertas as urnas, a presidente parecia "fechada em um labirinto" – a economia colhendo resultados ruins que, segundo a revista, ela mesma plantou, desconfianças insufladas em seu próprio partido e ambições desmedidas entre aliados. Enquanto ela se isolava no palácio – "com a melancolia de quem não tem o que comemorar verdadeiramente" –, do lado oposto a revista desenhava um Aécio recebido em triunfo em Brasília, "aclamado como líder".

Na linha geral adotada por reportagens, articulistas e editoriais, a virulenta disputa, repleta de ataques, insultos e provocações, abrira feridas graves no país, deixando sequelas que comprometiam o futuro do segundo mandato da presidente. Em suas declarações em defesa do diálogo e da conciliação, Dilma respondia a duas críticas centrais – a campanha eleitoral agressiva e a sua dificuldade de se abrir ao diálogo com setores da sociedade, entre os quais os empresários e o Congresso. Na narrativa da chamada grande imprensa, o modo como atuaria para cicatrizar tais feridas poderia definir a longevidade e a eficácia do seu segundo mandato. O próprio ex-presidente Lula, visivelmente apreensivo, disse aos repórteres que o acompanhavam na votação em São Bernardo do Campo: reeleita, a presidente precisaria de um "aprendizado de convivência" com o Congresso. A convivência, disse ele, seria cada vez mais difícil. "Não é fácil montar uma coalizão de 28 partidos. Em vez de ficar reclamando, temos que pensar em como construir a engenharia de governabilidade no país."

Maus presságios. No prenúncio estampado naquilo que se escrevia nos jornais e revistas e se dizia na TV, o segundo mandato de Dilma também sofreria o pão que o Judiciário amassou com os desdobramentos do escândalo da Petrobras. Mais: seria um tempo de vacas magras, com uma economia mundial claudicante e sujeita a instabilidades crônicas. E mais as promissórias sociais que a candidata assinara durante a campanha, difíceis de quitar devido às restrições da economia brasileira naquele momento.

Pouca gente estava aberta a ouvir contra-argumentos. O tal país dividido em dois não existia, de fato, nos números. A soma dos votos em Dilma e Aécio levava a 105,5 milhões de eleitores, equivalentes à metade da população, de 200 milhões. Ou seja, o que estava dividido ao meio eram os votos, não o país. Cada candidato exibia ¼ da população – cada um era apenas metade da metade dos brasileiros, como escreveu o colunista Janio de Freitas, da *Folha de S.Paulo*, uma das poucas vozes dissonantes da tese-clichê. Além dos totais de eleitores que se aproximavam, sobrava outro tanto na população do Brasil: cerca de 30 milhões de eleitores haviam se ausentado da votação; outros 5,21 milhões anularam o voto; outro bocado votara em branco. Mas a ideia do país dividido ao meio, rachado, metade contra metade, era necessária para muita gente desgostosa. Exibia muita força.

A beligerância que dificultaria enormemente o segundo mandato de Dilma Rousseff começava ali. E era agravada pela memória de uma campanha dura, virulenta, bruta. Uma memória dedicada especialmente à campanha do PT, devido à bem-sucedida estratégia de desconstrução dos seus adversários – Marina Silva e Aécio Neves. Essa estratégia começou a ser desenhada numa segunda-feira, 1º de setembro de 2014. Depois de participar do debate entre os candidatos à Presidência no SBT, a presidente Dilma convidou parte do comando da campanha para um jantar-reunião na suíte que a hospedava, no Hotel Unique, em São Paulo. Estavam presentes o ex-presidente Lula, o então ministro da Casa Civil, Aloizio Mercadante, o presidente do PT, Rui Falcão, o prefeito de São Bernardo do Campo, Luís Marinho, o ministro das Relações Institucionais, Ricardo Berzoini, e o publicitário João Santana.

Havia um consenso e uma preocupação: o crescimento acentuado da candidatura de Marina Silva, que substituíra Eduardo Campos. Lula, o primeiro a falar, lembrou que experimentava algo parecido com o que vivera em 1994, na campanha que perdeu para Fernando Henrique Cardoso. Na avaliação do grupo, Marina crescia porque corria solta, intocável. Ninguém a confrontava. A solução encontrada parecia óbvia a partir dessa constatação: o melhor era partir para o ataque, sob pena de enfrentarem no segundo turno uma Marina fortalecida. A ideia: antecipar o segundo turno, mesmo com todos os riscos que isso significava. Os ataques começariam no dia seguinte, quando o programa do PT mostrou os melhores momentos do debate, já com os primeiros petardos contra Marina.

A candidata do PSB ajudou. O primeiro baque na fugidia euforia de sua campanha surgiu antes mesmo da artilharia petista: uma atrapalhada divulgação do seu programa de governo. O recuo em relação ao reconhecimento do casamento gay teve impacto negativo, em especial entre os jovens, o público que havia identificado em Marina um canal de renovação da política durante os protestos de 2013 nas ruas. Foi esse o primeiro segmento que refluiu a vantagem dela sobre Aécio – justamente o mais atuante nas redes sociais, mídia em que a campanha de Marina apostava bastante para compensar seu esquálido tempo de TV. O episódio deu a deixa para colar em Marina o estigma da candidata volúvel, que diz uma coisa e seu contrário, e uma candidata paradoxal: aquela que é sinônimo de renovação da política mas ao mesmo tempo exibe ideias conservadoras.

Logo na sequência, a socióloga Neca Setubal concedeu uma entrevista à *Folha de S.Paulo*, na qual dizia que Marina manteria os compromissos de Eduardo Campos, incluindo a proposta de autonomia do Banco Central. Tudo muito bem, não fosse ela acionista e filha do fundador do banco Itaú – embora não fosse a "banqueira" citada pela campanha petista. Foi o espaço aberto para que a publicidade de João Santana associasse Marina a vilões do mercado financeiro que tirariam o prato de comida da mesa do pobre caso a candidata chegasse ao poder.

Goste-se ou não, a campanha de reeleição da presidente Dilma mostrou um pensamento estratégico bem definido: atacou mais do que defendeu, invertendo a lógica de quem é governo. Saiu do canto do ringue e empurrou os adversários para lá. Desconstruiu desafiantes, reconstruiu o perfil da presidente e substituiu a leveza e elegância da vitoriosa campanha de Lula em 2002 pelo embate e pela agressividade. Como afirmou o publicitário Nizan Guanaes ao jornalista Luiz Maklouf Carvalho, em depoimento para o perfil biográfico de João Santana, "se as pessoas acham que a campanha foi pesada (e ela foi) e que ela foi bruta (e ela foi), tem que ver os filmes negativos das campanhas americanas. Marketing político é UFC. O marqueteiro tem que ter estômago e os candidatos também".

Marina pareceu não ter, e sua candidatura se desmilinguiu continuamente durante o mês de setembro. Aécio cresceu e foi para o segundo turno. Marina anunciou que o apoiaria, criticou os métodos do PT para ganhar a eleição e se retirou de cena. A dez dias da votação final, a campanha de Dilma deflagrou um bombardeio gigantesco contra o candidato Aécio Neves: trinta inserções diárias, de 15 segundos, com o lema "Aécio: quem conhece não vota".

É falsa, porém, a ideia de que a violência da campanha era promovida apenas por um lado. Se o PT atacava as teses liberais de Aécio Neves com questionamentos ameaçadores, os adversários de Dilma tentaram a todo custo negar o vigoroso processo de ascensão social iniciado ainda no governo Lula. Buscaram negar que, apesar da crise econômica interna e externa, o Brasil era um dos países com melhores índices de emprego. Que apesar dos grandes escândalos de corrupção, nunca houve tanto combate e punição. Tentaram boicotar o Mais Médicos. Para não mencionar o comportamento de Aécio nos debates – verbalmente agressivo e deselegante contra Dilma Rousseff. Esses eram alguns dos eixos das respostas da campanha conduzida por João Santana. Não sem excessos, como o filme em que comparava a mesa da família pobre e a mesa dos banqueiros para tratar da independência do Banco Central defendida por Marina – na peça, o prato sumia da frente das crianças pobres, sugerindo o que ocorreria caso a tese de Marina para o Banco Central prevalecesse.

Os ataques contra Dilma e o PT surgiam além das campanhas adversárias e notícias negativas vinham com força destruidora direto de Curitiba. A Operação Lava Jato, deflagrada quase sete meses antes do primeiro turno, já era assunto de manchetes de jornal e debates políticos. No dia 8 de outubro, três dias depois da primeira votação, os dois delatores que revelaram o escândalo na Petrobras, o doleiro Alberto Youssef e o ex-diretor da estatal Paulo Roberto Costa, deram o primeiro depoimento à força-tarefa. A história abasteceu amplamente as manchetes daqueles dias e suas denúncias tiveram efeito imediato na campanha. O candidato tucano cobrou o aprofundamento das investigações e, claro, lançou suspeitas com ares conclusivos: "Agora estamos vendo que a corrupção se institucionalizou no seio da nossa maior empresa. É preciso que as investigações avancem", disse Aécio.

Dilma Rousseff estranhou a divulgação dos depoimentos em plena campanha eleitoral: "Fomos surpreendidos, o país todo foi surpreendido, com gravações de depoimentos à Justiça de dois indivíduos presos pela Polícia Federal. Acho muito estranho e muito estarrecedor que no meio de uma campanha eleitoral façam esse tipo de divulgação. Agora, que não se use isso de forma leviana em períodos eleitorais." Youssef dizia que a campanha presidencial de 2010 do PT levou dinheiro do que a imprensa chamava petrolão. Também afirmava que 28 deputados federais recebiam propinas mensais para apoiar o PT. Paulo Roberto Costa mencionava subornos em troca dos contratos, com o dinheiro indo para o PT, o PMDB e o PP.

A polêmica atingiu o auge dois dias antes do segundo turno, quando a revista *Veja* trouxe em sua capa as declarações sigilosas de Youssef ao Ministério Público Federal. Na capa, com a foto de Dilma e Lula, o título vaticinava: "Eles sabiam de tudo". A matéria de capa fora produzida pelo repórter Robson Bonin com base no depoimento do doleiro Alberto Youssef, para quem a presidente e o ex-presidente "tinham conhecimento das tenebrosas transações na estatal". Os protestos dos partidários de Dilma e do PT foram ainda mais enfáticos não só por causa do vazamento de um depoimento sigiloso, mas também pelo contexto: o trecho usado pela revista fora uma retificação solicitada por um dos advogados de Youssef em depoimento prestado um dia antes por seu cliente: "No interrogatório, perguntou quem mais sabia (...) das fraudes na Petrobras. Youssef disse, então, que, pela dimensão do caso, não teria como Lula e Dilma não saberem. A partir daí, concluiu-se a retificação." A acusação contra a presidente e o ex-presidente estava selada.

A tensão aumentou ainda mais. Manifestantes fizeram um protesto em frente à sede da Editora Abril, que publica *Veja*. Picharam a calçada, as paredes e a placa com o nome da editora com frases como "*Veja* mente". A campanha de Aécio entrou com uma notícia-crime no Ministério Público Federal pedindo a investigação de Dilma e Lula. Não seria a primeira vez que a Lava Jato promoveria gestos contra ambos, contra o governo e contra o PT em momentos-chave. Em seu último programa eleitoral, a candidata à reeleição criticou a reportagem: "Não posso me calar frente a esse ato de terrorismo eleitoral articulado pela revista *Veja* e seus parceiros ocultos. Uma atitude que envergonha a imprensa e agride a nossa tradição democrática. Sem apresentar nenhuma prova concreta e mais uma vez baseando-se em supostas declarações de pessoas do submundo do crime, a revista tenta envolver diretamente a mim e ao presidente Lula nos episódios da Petrobras, que estão sob investigação da Justiça." Para ela, era uma tentativa de intervir "de forma desonesta no resultado das eleições".

O complemento da sequência de boatos e especulações na disputa presidencial veio na véspera da eleição. Na tarde do sábado, Youssef foi levado da cadeia para um hospital em Curitiba. O médico não escondeu que encontrara um paciente "consciente, lúcido e orientado", cujos exames laboratoriais "estão dentro da normalidade". Mas alguém "vazou" de imediato que Youssef, mesmo socorrido, morrera assassinado. Envenenado. O ministro da Justiça, José Eduardo Cardozo, precisou ir a público para garantir que a "morte" do doleiro era só um boato.

Na campanha das agressões e dos insultos mútuos, na disputa das polêmicas e dos embates, mesmo programáticos, não havia muitos limites para as mensagens difundidas no submundo das equipes de cada lado. No fim das contas, saiu vitorioso o marketing do PT. Mas a ferida ficou aberta. De um lado, aquela fratura exposta deixada pela desconstrução dos adversários atiçaria o ódio daqueles deixados para trás. Por outro, a presidente jamais daria espaço para um possível diálogo com a revista *Veja* – nem a *Veja* reduziria a intensidade dos ataques ou modificaria seus métodos. O ministro Edinho Silva (Comunicação Social), eu e a secretária-adjunta de Imprensa, Myrian Pereira, ainda tentaríamos algumas vezes desobstruir os canais, que permaneceriam fechados até o afastamento da presidente. Dilma jamais perdoaria a revista. Quando em janeiro de 2016 organizamos duas grandes entrevistas coletivas da presidente no Palácio do Planalto, ela vetou, de próprio punho, o nome de uma jornalista da *Veja* que havíamos incluído na lista de participantes. "Faz de conta que você esqueceu", disse, em seu gabinete, ao me devolver a lista riscada.

O ponto mais nevrálgico saído daquele processo eleitoral concentrava--se na oposição a Dilma, partidária e midiática. A vingança seria forjada nos meses seguintes – ou mesmo, como se viu no capítulo anterior, nos dias seguintes. Como a presidente Dilma diria mais tarde no Palácio e fora dele, uma tentativa de vingança dura e permanente, que a impediria de governar durante todo o seu curto segundo mandato.

Capítulo 4

CAMPANHA É CAMPANHA, GOVERNO É GOVERNO

"Eleição nova, governo novo, equipe nova." Ninguém teve dúvidas: ao falar assim, a presidente Dilma Rousseff confirmava, na prática, a substituição do então ministro da Fazenda, Guido Mantega. A frase foi dita no início de setembro de 2014, em Fortaleza, Ceará, ao responder a perguntas de repórteres sobre o futuro de Mantega. Dilma promovia uma demissão antecipada do seu ministro, sem anúncio de substituto. Embora o próprio já tivesse dito várias vezes, em conversas reservadas, que não permaneceria no cargo em caso de reeleição da presidente, o desconforto, ao saber da entrevista, foi tão grande quanto a mágoa. Havia alguns meses o ex-presidente Lula recomendara à presidente dizer "claramente" o que faria com a economia depois de reeleita. No ano anterior, Lula defendera a demissão de Mantega, e Dilma recusara. Lula fazia campanha para Henrique Meirelles, o presidente do Banco Central durante seus dois mandatos. Dilma resistia a acolher a recomendação de Lula. Com o crescimento de Marina Silva, nos últimos dias de agosto, finalmente sucumbiu à pressão. Sobrou para Mantega.

O suspense sobre o substituto duraria até o dia 21 de novembro, quando o ex-secretário do Tesouro Joaquim Levy foi anunciado pela presidente como o ministro da Fazenda do seu segundo mandato. Liberal, fiscalista, extremamente bem-visto pelas principais rodas do mercado financeiro, a escolha agradava a muita gente e desagradava ao PT e à esquerda, que via no ministro indicado a evidência de uma contradição com a campanha que mal havia terminado. Afinal, Dilma fizera críticas enfáticas ao adversário Aécio Neves por escolher Armínio Fraga como eventual ministro da Fazenda, se eleito. Ela chegou a dizer que o presidente do Banco Central no governo de

Fernando Henrique Cardoso "não gosta de salário mínimo". Na TV, também explorou uma frase de Aécio, segundo a qual, se eleito, tomaria medidas "impopulares". Isso significaria, segundo ela, "eventuais cortes na educação, na saúde e em programas sociais". A campanha de Dilma também fora dura com os bancos durante a desconstrução de Marina Silva – vejam-se os ataques a Neca Setubal, acionista do banco Itaú.

Chamado de Joaquim "Mãos de Tesoura", fruto de suas passagens pela Secretaria do Tesouro durante o primeiro mandato de Lula e como secretário da Fazenda no primeiro mandato de Sérgio Cabral como governador do Rio de Janeiro, Levy sinalizava uma mudança radical na política econômica em curso. Dotado de uma personalidade forte e convicções firmes, profundo conhecedor de orçamento e chegando ao governo com capital político elevado, ele seria o homem certo para acalmar os mercados, reticentes com o futuro de uma economia conduzida mais por Dilma do que por Mantega. E seria, possivelmente, o "ministro do não", ônus que muitas vezes cabe ao ministro da Fazenda – algo que Mantega jamais conseguiu ser. Joaquim Levy não tinha condições de saber naquele momento, mas ali ingressava no epicentro da crise do governo Dilma, como peça-chave para o derretimento do mandato da presidente. A crise econômica seria irmã da crise política, e vice-versa, e ambas seguiriam juntas até o impeachment.

Nem Levy nem Dilma jamais admitiriam em público, nem mesmo para seus auxiliares, mas a indicação do novo ministro da Fazenda veio de Luiz Carlos Trabuco, presidente do Bradesco. Trabuco era a primeira opção de Dilma para o cargo. Na conversa derradeira, ele esteve com a presidente na quarta-feira, dia 19 de novembro, quando agradeceu o convite, mas disse não ter condições de aceitar devido aos compromissos assumidos com Lázaro Brandão, o presidente do Conselho de Administração do Bradesco. Dilma e Brandão haviam se reunido um dia antes, quando ela tentou convencê-lo a liberar seu principal funcionário.

Sem Trabuco no páreo, Dilma passou a avaliar três nomes para formar sua equipe econômica: além de Levy, na época diretor-superintendente da Bradesco Asset Management, estavam Nelson Barbosa (ex-secretário executivo do Ministério da Fazenda) e Alexandre Tombini, então presidente do Banco Central. Não se noticiou na época, mas inicialmente a presidente cogitou Levy para o Banco Central. Mudou de ideia: o ex-secretário do Tesouro a impressionou em demasia na conversa com ela, tanto pela sua firmeza quanto pela radiografia que ele fez sobre a economia brasileira – e o que fazer para mudar. Numa de suas conversas, Levy lhe disse, com sua autoconfiança característica, que seria um desperdício ser colocado no Banco Central. Também a impressionara a sinceridade de Levy – ele desenhava um quadro trágico da situação fiscal brasileira e expunha os mecanismos que julgava essenciais para consertá-lo. Dilma pareceu concordar. Barbosa sonhava com a Fazenda, mas foi para o Ministério do Planejamento. Tombini permaneceu no Banco Central.

Lula foi ouvido. Ele vinha se batendo com a presidente pela necessidade de sinalizar a mudança de rumo na condução da política econômica. O modelo que prevaleceu no primeiro mandato havia falido. Também seria necessário, ele avaliava, um homem forte para deixar claro que ela não acumularia a Presidência com o cargo de ministro da Fazenda no segundo mandato. Lula lembrava-a o tempo inteiro do duro ajuste fiscal que fizera no início do seu governo, em 2003. Antonio Palocci e companhia (Joaquim Levy incluído na equipe) eram o vértice da confiança junto aos mercados, enquanto na outra ponta a política social fazia sua parte de compensar as restrições impostas pela equipe econômica. E havia o capital político de Lula. Apesar de vitoriosa nas urnas, a transição entre a eleição e o início do segundo mandato fizera minguar o capital político da presidente. Ela e a economia precisavam se mexer. Dilma vivia inclusive uma hostilidade aberta dentro do próprio PT. Em direções opostas, contra e a favor da nova política econômica, nomes como José Dirceu e Marta Suplicy cuspiam fogo na presidente. Ela entrincheirou-se no Planalto e removeu grande parte dos remanescentes do lulismo abrigados no palácio.

Levy entrou como salvador da economia e mergulhou de cabeça também na política, uma vez que as medidas que prepararia dependiam essencialmente da aprovação do Congresso. Não haveria vida fácil para ele e a presidente. Ambos apanharam duplamente: pela esquerda, em especial por uma ala majoritária do PT, e pela direita. A esquerda enxergava no novo ministro da Fazenda um estranho no ninho, alguém capaz de abalar os alicerces sobre os quais se sustentava a política social do governo. Levy se confrontara no passado com o próprio Mantega. Em março de 2006, o então presidente do BNDES acusou o então secretário do Tesouro de ter uma visão "conservadora, não sintonizada com a política social do governo Lula". Na ocasião, Mantega contestou um estudo elaborado por Levy, que apontava o aumento do salário mínimo como o responsável por parte substancial do crescimento do gasto público em 2005. O estudo foi divulgado no site do ministério da Fazenda. "Estão equivocados. Este governo tem por objetivo elevar o valor do salário mínimo e executar os programas sociais. Isso é o que diferencia este governo. Nenhum burocrata pode impedir que o presidente o faça. Quem for contra está em outro governo", criticou Mantega em uma entrevista para o jornal *O Estado de S. Paulo* em 2006. Já a direita e a oposição em geral viam no gesto da presidente um "estelionato eleitoral", uma guinada repentina de quem supostamente omitiu a gravidade da situação para só mudar após as eleições.

A presidente que indicava, naquele momento, um nome abraçado à linha imaginada pelo mercado financeiro era muito diferente daquela que, em 2011, produzira tensão e cisão de interesses ao deflagrar uma ruidosa e bem-sucedida campanha contra os juros praticados pelos bancos. A onda de baixas promovida pelo governo chegou ao ponto mais baixo em 2012: entre agosto de 2011 e novembro de 2012, a taxa referencial dos juros brasileiros, a Selic, caiu continuamente, em uma série histórica incomum. Passou de 12,5% para 7,25%, o menor nível em todos os tempos. Até abril de 2013, a taxa foi mantida exatamente nesse patamar. Além disso, dirigiu os bancos públicos, Caixa Econômica e Banco do Brasil, para a queda real dos juros de operação de créditos diretos ao consumidor e os juros do cheque especial. Foi a forma encontrada pela presidente de forçar os bancos privados a fazer o mesmo. Os interesses bancários não tinham vida fácil naquela fase.

Mais tarde, muitos analistas alinhados à esquerda, mesmo críticos a Dilma, enxergariam naquele gesto uma das raízes da forte resistência que ela encontrou a partir de então. O governo comprara uma briga-limite com agentes econômicos especiais, setores muito organizados e influentes do capital nacional. Como afirmaria Tales Ab'Sáber, no livro *Dilma Rousseff e o ódio político*, seria "difícil saber se a política de ruptura anunciada se produziu pela fome dos interesses financeiros confrontados ou pela proverbial inabilidade política da presidente em conduzir processos de conflito, visando a alguma meta política estável". O fato é que, segundo tal visão, pela primeira vez, desde a chegada do PT ao governo, em 2003, surgia uma oposição consciente, interessada e com força social real contra, capaz de abalar em profundidade o projeto petista. Os conflitos se intensificaram com a oposição direta e sistemática do capital financeiro. Enquanto os bancos ganharam fortunas durante o governo Lula, suas margens caíam a patamares "insustentáveis", conforme expressão de Roberto Luiz Troster, economista-chefe da Federação

Brasileira dos Bancos, a Febraban. "Crédito a 2% ao mês? Não vai dar certo", era o título de um artigo seu publicado no jornal *Folha de S.Paulo*, em abril de 2012. "Os grandes bancos não conseguem emprestar ao consumidor nesse patamar de taxas. Basta analisar seus balanços e verificar que as margens almejadas seriam deficitárias", escreveu Troster.

Foi com essa oposição real, forte e sistemática que Dilma acabou reeleita e iniciou o segundo mandato. Joaquim Levy a ajudaria a aplacar a falta de apoio no empresariado. Mas o novo ministro estava muito longe de ser fã da política de juros altos. Significava enxugar gelo. Ajudava a garantir o controle da inflação, mas a dosagem de remédio amargo também produzia efeitos colaterais negativos impossíveis de ser ignorados: a taxa real de juros alta inibe o consumo, mas também os investimentos que poderiam ajudar a economia a ser mais eficiente (e, consequentemente, mais resistente à inflação), além de alterar fluxos de capitais. A dívida pública cresce igualmente, porque a União, os estados e os municípios não acumulam recursos para pagar integralmente os juros devidos, e a diferença acaba se juntando ao valor principal do endividamento. A saída estava no equilíbrio das contas – o ajuste fiscal, sua principal bandeira nos primeiros meses à frente do Ministério da Fazenda.

Não estava só. Nelson Barbosa e Alexandre Tombini concordavam – e expressaram isso à presidente – que era preciso um ajuste fiscal no começo de 2015. Também concordavam que seria um bom sinal para o mercado um corte de despesas, incluindo mudanças no seguro-desemprego, nas pensões por morte e no abono salarial. Assim aumentariam a economia feita pelo setor público para pagar juros da dívida e abririam caminho para recuperar a credibilidade perdida junto aos mercados. Tudo com a defesa da "sanidade da moeda e santidade dos contratos", a dita sabedoria secular inglesa para uma política econômica capaz de manter a inflação sob controle e de respeitar os termos financeiros dos acordos, especialmente aqueles firmados por empresas privadas com o governo. Seria a condição para atrair capital de longo prazo e estancar a crise de confiança instalada contra o governo. Estava consolidado o roteiro econômico do início do segundo mandato. Como a imprensa gostava de repetir, o início de Dilma 2.0 parecia ter pouco ou nada a ver com Dilma 1.0 – aliás, para a imprensa, Dilma 2.0 tinha muito a corrigir de Dilma 1.0. As primeiras medidas soavam como música para muitos, enquanto chocavam outros. A seu modo, Dilma desestabilizava os padrões de apoio ao seu governo.

Capítulo 5

O PT CONTRA JOAQUIM LEVY

Corria o mês de agosto e a primeira fase do ajuste fiscal fora aprovada no Congresso, mas as dificuldades de sua continuidade se mostravam crescentes. As amarras eram proporcionais à deterioração dos dados econômicos. Dos choques e tiroteios iniciais dirigidos ao ministro Joaquim Levy e à presidente Dilma Rousseff, a mudança na gestão da política econômica colecionava uma sucessão quase permanente de ataques destinados ao titular do Ministério da Fazenda. Enquanto angariava apoios e defesas públicas de empresários, de porta-vozes do mercado financeiro (nacionais e estrangeiros) e do jornalismo econômico, Levy enfrentava uma campanha ora explícita, ora sutil: a artilharia do PT e das centrais sindicais.

Naquele dia, viajei com o ministro para São Paulo. Era um dia tenso. O jornal *Valor Econômico* publicara em sua manchete, assinada por Claudia Safatle, um típico exemplo de ataque explícito adornado por cores de sutileza. A manchete, baseada em fontes da cúpula do PT, informava que o partido pediria a cabeça de Joaquim Levy. O gesto teria o comando do ex-presidente Lula, impaciente com os resultados do ajuste fiscal conduzido pelo ministro. No jatinho da FAB, na companhia do secretário-executivo do ministério, Tarcisio Godoy, passei-lhe um recado recebido de um petista histórico, aliado próximo ao ex-presidente Luiz Inácio Lula da Silva. Não, Lula não queria sua cabeça. Preferia mudar a cabeça de Levy a pedir sua degola. No raciocínio que busquei externar ao ministro, o ex-presidente jamais foi contra o ajuste fiscal – sua memória dos tempos de Antonio Palocci e Henrique Meirelles o deixava convicto de que se tratava de um caminho correto. O equívoco, na visão de Lula, era de dosagem: o ajuste se tornara praticamente a única agenda econômica do segundo mandato de Dilma. Nem o ministro da Fazenda nem a presidente conseguiram difundir a mensagem do crescimento econômico, nem de políticas que compensassem a dureza da trajetória rumo à retomada do crescimento. Para o governo, havia uma ponte a percorrer, uma travessia que exigia paciência e esforço do país. Mas, para Lula, durante o percurso até chegar ao outro lado da ponte, era preciso conceder alguma coisa no meio do caminho. O ex-presidente se sentia desconfortável com a inflexão na economia, mas sobretudo com a demora do governo em virar a página do ajuste fiscal. Era preciso criar uma agenda positiva, pensava Lula, e dizia isso nas conversas reservadas.

No fundo, era impossível ter convicção plena de que o ex-presidente não estava, de fato, pedindo a cabeça de Joaquim Levy nas conversas com Dilma. No mínimo, deixava correr solta a onda de críticas de petistas, públicas e reservadas, ao ministro. Também estimulava as críticas internas de Nelson Barbosa ao colega – o ministro do Planejamento sempre seria o nome alternativo para substituir Levy. A crítica petista já podia ser sentida de maneira mais aguda desde o mês anterior, quando ocorreu, em Salvador, o 5º Congresso do PT. O nome Levy chegou àquele congresso como a encarnação do mal. A avaliação predominante no partido era de que o modelo de ajuste fiscal adotado poria a economia nas cordas, tornando o crescimento inviável. Os petistas só enxergavam a tesourada nos gastos, o corte de programas sociais e as restrições criadas a direitos trabalhistas, como o seguro-desemprego – elementos que travariam o desenvolvimento e afastariam ainda mais o PT de sua base social. Um dos documentos do congresso, o manifesto da tendência Construindo um Novo Brasil (CNB), mesma corrente do ex-presidente Lula, foi escrito, entre outras pessoas, pelo professor Marco Aurélio Garcia, assessor especial da Presidência, e dizia: "Não se pode fazer da necessidade de sanear a situação fiscal a ocasião para a apologia de uma política econômica conservadora, cujas consequências bem conhecemos." O "Fora Levy" acabou deixado de lado naquele congresso, mas a divergência ficou explícita no papel.

Apesar da crítica dura, fazia sentido o raciocínio do meu interlocutor próximo a Lula. É verdade que continha uma certa injustiça, afinal Levy falava com muita frequência sobre o longo prazo e sobre crescimento econômico. A sua comunicação, no entanto, talvez falhasse na forma de expressar seu planejamento ou de distribuir as devidas ênfases sobre os caminhos e os objetivos a serem seguidos. Levy ouviu e pareceu concordar. "É, temos de pensar em algumas medidas que reforcem esse equilíbrio, sem afetar nosso objetivo primordial", disse. Sem entrar em detalhes do que poderiam ser tais medidas, ficou de pensar no assunto.

Para muita gente da esquerda, Joaquim Levy representava o que a presidente Dilma negara em toda a campanha eleitoral: uma política econômica de viés liberal para recolocar o país na trilha do crescimento. A deterioração da economia, decorrente de equívocos domésticos e aprofundamento da crise internacional, a fazia caminhar para algo impensável no início do seu governo, em 2011: entregar a economia pior do que Lula a recebeu de Fernando Henrique Cardoso em 2003. Quando assumi como seu secretário de Imprensa, migrando do Ministério da Fazenda para o Palácio do Planalto, ouvi da presidente a avaliação de que Levy até poderia representar um risco para o PT ao chegar ao governo em janeiro de 2015, mas o PT também corria um enorme risco. Se a economia continuasse complicando a vida do governo e do país, isso significaria ter o ano de 2015, talvez até o início de 2016, reservado para que alguns desacertos fossem corrigidos e o governo recuperasse a credibilidade. A partir de então viriam as campanhas municipais para, em seguida, começar a contar o tempo para as eleições presidenciais. Era preciso correr.

Segundo a presidente, no entanto, esse risco duplo tinha uma origem central: o quadro internacional. E ainda a percepção tardia, por parte do governo e dos agentes econômicos, da gravidade da crise em formação. Colunistas, repórteres e líderes da oposição passaram todo o ano de 2015 tentando arrancar da presidente uma autocrítica, um mea-culpa, pelos seus erros na economia e na política durante o primeiro mandato – na verdade, uma insistência surgida desde as manifestações que se espalharam pelo país em 2013. Em agosto de 2015, ela convidou os três grandes jornais do país para uma entrevista no Palácio do Planalto. A Natuza Nery, da *Folha de S.Paulo*, Ilimar Franco, de *O Globo*, e Marcelo Moraes, do *Estado de S. Paulo*, a presidente afirmou: "Vocês sempre me perguntam: em que você errou? Eu fico pensando. Em ter demorado tanto para perceber que a situação podia ser mais grave do que imaginávamos. E, portanto, talvez nós tivéssemos de ter começado a fazer uma inflexão antes", disse. "Talvez porque não tinha indício de uma coisa dessa envergadura. A gente vê pelos dados. Nós levamos muito susto. Nós não imaginávamos. Primeiro que teria uma queda da arrecadação tão profunda. Ninguém imaginava."

Nos meses seguintes, em entrevistas ou em conversas reservadas, ela sempre sacava alguns números para confirmar essa tese em torno da gravidade não percebida da situação. "Eu nunca imaginaria, ninguém imaginaria, que o preço do petróleo cairia de US$ 105 [o barril], em abril, para US$ 102 em agosto, para US$ 43 hoje", repetia. "A crise começa em agosto, mas só vai ficar grave, grave mesmo, entre novembro e dezembro [de 2014]. É quando todos os estados da Federação percebem que a arrecadação caiu."

Nessa cronologia ressaltada pela presidente, a crise se delineando de maneira clara e grave após as eleições (outubro de 2014) justificaria a escolha de Joaquim Levy e a opção pela agenda do ajuste fiscal. No início do segundo mandato da presidente Dilma, Levy e o ministro do Planejamento, Nelson Barbosa, executaram um ajuste fiscal baseado na teoria da "contração expansionista". *Grosso modo*, essa teoria diz que quando o governo faz o ajuste necessário em suas contas, com corte de despesas e aumento da economia para pagar juros, reduz as incertezas e eleva a confiança dos empresários no futuro, que passam a investir. Com isso, embora o ajuste seja inicialmente recessivo, ele termina dando origem a mais investimento e a uma retomada da economia.

Tanto ela quanto o seu novo ministro da Fazenda cometeram pelo menos um erro na partida: imaginaram que a agenda do ajuste seria aprovada de maneira rápida pelo Congresso. Duraria talvez o primeiro semestre de 2015. Embora Levy fosse de longe mais cético em relação à recuperação da economia do que Dilma e Nelson Barbosa, havia no ar uma compreensão de que se chegaria ao início do segundo semestre de 2015 com uma perspectiva bem melhor para a economia. O Brasil veria criada a condição para a economia voltar a crescer ainda naquele ano. A confiança dos investidores, porém, não foi restaurada. Ao contrário, passou a cair de forma mais acentuada. Os três provavelmente subestimaram a capacidade de articulação do governo ou ignoraram uma máxima de Brasília: o Congresso costuma entregar o que o governo quer; mas entrega menos e mais lentamente do que o governo espera e precisa.

Joaquim Levy assumiu seu posto com um primeiro compromisso: a recuperação da política de superávits primários (o resultado positivo entre a arrecadação e o gasto do governo, e esse saldo é usado para pagar juros da dívida pública). Desde a crise do fim dos anos 1990, alcançar superávits primários virou sinônimo de responsabilidade dos governantes. A deterioração dos resultados fora levada ao limite em 2014 para assegurar os níveis de emprego e renda – segundo justificativa dita e redita pela presidente em reuniões ministeriais, encontros reservados e entrevistas. O governo lançara mão da chamada política de desoneração da folha: abdicava de impostos para que as empresas preservassem seus empregados (com o apoio, diga-se, de empresários que mais tarde atacariam duramente a política).

As primeiras medidas passaram com razoável eficácia, embora à custa de bastante negociação com os líderes do Congresso. Em julho, porém, a deterioração das contas públicas continuava. Era pior do que Levy imaginara. Mais grave: as condições de aprovação de medidas necessárias ao conserto da situação no Congresso eram adversas, o ambiente político parecia longe de permitir alguma discussão mais profunda sobre o que fazer a partir dali. O ministro enxergava dificuldade de sensibilizar os partidos para, por exemplo, reduzir as chamadas vinculações do gasto público: a despesa carimbada, obrigatória, em algumas áreas, como saúde e educação. Essas vinculações deixavam pouca margem de manobra para o governo cortar gastos: menos de 10% do orçamento, segundo cálculo mostrado na época por Levy. Ele também queria atacar mais a fundo os incentivos fiscais e as desonerações da folha de salários das empresas – somados, os dois pacotes reduziam as receitas da União em R$ 25 bilhões ao ano. Para convencer os congressistas, Levy mostrava estudo segundo o qual cada emprego gerado com a desoneração custava ao governo entre R$ 80 mil e R$ 100 mil por ano.

Levy também batia na tecla da redução da dívida pública, cuja trajetória inviabilizaria a retomada do crescimento. Para ele, só metas mais elevadas de superávit primário garantiriam uma curva sustentável da dívida pública em relação ao PIB, fazendo sumir o fantasma de uma possível situação de insolvência do país. Mas o ministro da Fazenda não teria vida fácil. Dilma e Nelson Barbosa estavam convencidos da necessidade de ajuste fiscal e da busca de superávits primários – afinal, a situação econômica mudara, o que não permitia mais a política de flexibilização dos instrumentos de controle fiscal e monetário (verificados entre 2012 e 2014). A inflação atingia 9%, o desemprego e a desconfiança de empresas e consumidores estavam em alta. A recessão estava cada vez mais evidente. Mas tanto a presidente quanto o ministro do Planejamento divergiam de Levy sobre a dosagem.

O segundo semestre de 2015 fez o ministro ingressar numa espiral descendente, marcada por instabilidades sucessivas: ampliação das incertezas políticas e econômicas decorrentes de um fantasma chamado impeachment, de um Congresso cada vez mais refratário à agenda do governo, da dúvida constante que os apoiadores de Levy tinham sobre sua força dentro do governo (e se a presidente ainda manteria, de fato, o apoio à sua agenda) e, sobretudo, dos ataques contínuos, explícitos e implícitos, de grande parte do PT. Foi um período de grande estresse no Ministério da Fazenda: cada agenda da pasta, cada declaração do ministro, recebia uma resposta negativa do partido da presidente. Não raro propostas desembarcadas no Congresso com a chancela da Fazenda, da Casa Civil e do Palácio do Planalto recebiam ataques imediatos de deputados ou senadores do PT.

Essa prática incentivava as traições da própria base de apoio parlamentar ao governo. No Ministério da Fazenda se pensava: nada mais petista do que este exercício de contradição dentro de si mesmo. Para quem não entendia de PT, os movimentos contraditórios e muitas vezes autofágicos soariam surpreendentes, inacreditáveis, inaceitáveis. Mas assim era o PT: apesar da unidade garantida por meio da liderança de Lula e da consistência programática em diversos macrotemas, o partido sempre exercitava sua capacidade de estimular as divergências internas. Elevava isso ao paroxismo. Fazer isso na oposição é fácil e natural. Repetir a prática no comando de um governo é que são elas.

Desde as primeiras conversas que teve com a presidente, Levy fazia questão de traçar um cenário sombrio. Era um modo de mostrar a gravidade da situação que diagnosticava e também de escapar da memória de Guido Mantega. Seu antecessor era conhecido por desenhar um cenário cor de rosa, mesmo quando o horizonte cinzento já aparecia com clareza na frente de muita gente. Levy temia o pior: perda do grau de investimento e consequente fuga de capitais, câmbio nas alturas e mais inflação. (Essa prática de sinceridade custou ao ministro a fama de pessimista em excesso, contaminando a presidente, quando o país precisava de animadores de torcida capazes de despertar um ânimo maior nos empresários e nos consumidores.) Nas reuniões internas do Ministério da Fazenda ele se mostrava espantado com a naturalidade com que era tratada a possibilidade de perda do grau de investimento – muitos devem se recordar o quanto a obtenção do chamado *investiment grade* foi celebrada em 2008 pelo presidente Lula. Levy fazia questão de externar sua visão nas entrevistas que concedia: "Perda do grau de investimento é coisa séria e custará muito ao país", repetia.

Ao dizer isso ele mirava especialmente na esquerda. O PT mudara sua visão quanto aos benefícios do grau de investimento. Com a ameaça das agências de classificação de risco, não raro deputados e senadores do partido davam de ombros para o risco. Mais tarde, em setembro daquele ano, quando o país foi rebaixado pela agência americana Standard & Poor's, assim disse o líder do governo, o deputado cearense José Guimarães: "Não é o rebaixamento de uma agência do fim do mundo que vai diminuir o ânimo do governo em buscar soluções para equacionar os problemas da economia brasileira. É claro que quem está na tese do quanto pior, pior, vê uma notícia assim e passa a comemorar." A declaração provocou risos em muitos petistas, constrangimento entre alguns auxiliares da presidente no Palácio do Planalto e vergonha em quem pensava como Joaquim Levy.

Capítulo 6

É A POLÍTICA, ESTÚPIDO

Em 1949, o cientista social norte-americano Robert Merton cunhou a expressão *self fulfilling prophecy* – na tradução livre, profecia autorrealizável. Você tanto fala numa coisa, com bases falsas ou não inteiramente verdadeiras, que tal coisa acaba se tornando realidade. Em se tratando de economia brasileira e do governo de Dilma Rousseff, a máxima foi real como poucas vezes na história. Não há economia que resista a maciços ataques de catastrofismo. Tanto a mídia brasileira gritou que o Brasil vivia um inferno econômico que as coisas efetivamente se complicaram – mais do que poderiam ter se complicado. Anotei isto num dos *briefings* matinais preparados para a presidente: sabíamos que 2015 seria um ano difícil, mas a imprensa sempre exibiu dificuldade de enxergar o mundo em convulsão. O problema era o Brasil, apenas o Brasil. O mal estava no governo Dilma, somente no governo Dilma. Esse vento contra foi arrasador em 2015 – e tanto Dilma quanto Levy pagaram caro por isso.

O professor Wanderley Guilherme dos Santos, um dos mais respeitados cientistas políticos do país, assim definia o comportamento da imprensa, enquanto conquistas sociais sucessivas apareciam durante o segundo mandato do presidente Lula: jornalismo adversativo. Nenhuma notícia boa era publicada sem um "porém" iniciando a oração seguinte. A miséria e a pobreza caíram, "mas" a desigualdade continua grande. O desemprego sofreu mais uma queda, "mas" a renda *per capita* não cresce. E assim por diante. Era a síntese do cientista político para a prática habitual da imprensa de enxergar o ruim quando está bom e o péssimo quando está ruim – ritual mantido implacavelmente durante o governo da presidente Dilma. Mesmo diante das críticas mais agudas recebidas dos donos de jornais (por meio dos editoriais), nunca se ouviu da presidente qualquer frase pondo a culpa na imprensa pelos problemas econômicos. Mas ela concordava com o diagnóstico em torno do jornalismo adversativo – e via injustiça, equívoco ou mesmo má-fé em muitas análises sobre a economia brasileira.

As dificuldades permanentes enfrentadas na economia e na política em 2015 não ajudaram a mudar esse padrão midiático. Além da deterioração dos indicadores, houve um fator adicional capaz de complicar a vida do ministro da Fazenda e da presidente Dilma em 2015: a rebeldia dos presidentes da Câmara, Eduardo Cunha, e do Senado, Renan Calheiros. Citados na Operação Lava Jato, ambos cobravam caro ao governo por não lhes dar a mão necessária para escapar das investigações, ajudando a desidratar as medidas do ajuste fiscal, ou mesmo aprovando-as na direção contrária ao pretendido originalmente pelo governo. Também houve enorme dificuldade de articulação política com o Congresso em geral. Era uma das máximas difundidas diariamente pela imprensa, não desprovida de razão: Dilma não sabia dialogar com o Legislativo de que tanto precisava para aprovar o ajuste fiscal em 2015. Mais do que isso, não se dedicava ao penoso trabalho de conversar com parlamentares.

Essa característica, no fundo, era um bom atributo da presidente: ela sempre viu na maioria do Congresso uma areia movediça de interesses menores, da qual era preciso manter distância. Mas tal qualidade revelou--se mortal por se tratar do cargo de presidente da República, que, goste-se ou não, requer mesuras, apoio mútuo e moeda de troca permanente para manter viva a agenda de interesse do governo. Pouco empenhada na arte de agradar, Dilma achava que se apequenaria se agisse como muitos dos seus antecessores, que recebiam deputados às pencas em seu gabinete ou em rodadas de encontros informais no Palácio da Alvorada. Numa manhã de abril de 2016, véspera da votação da Câmara dos Deputados que decidiu pela abertura do processo de impeachment, a presidente convidou ministros e deputados para um café da manhã no Alvorada. Um deles, do PR mineiro, passou na saída por mim e pelo chefe do Cerimonial da Presidência, Renato Mosca, olhou para a bela piscina de cinquenta metros de comprimento, sorriu e nos disse: "Um dia bem que ela poderia convidar a gente para nadar aqui." Dilma sempre teve dificuldade para seduzir – pelo menos a sedução nos moldes imaginados e esperados em Brasília.

As dificuldades políticas iniciais constatadas no primeiro trimestre de 2015 decorriam em grande parte dessa pouca vocação da presidente para a política miúda. Eram agravadas por um ministro-chefe da Casa Civil igualmente conhecido pela inabilidade nessa seara, Aloizio Mercadante. "Acho que tem minhas limitações, minhas dificuldades, meu jeito de ser. Deve ser tudo verdade", assim Mercadante se definiria mais tarde, após deixar a Casa Civil, à repórter da revista *Piauí* Julia Duailibi. "Mas, sinceramente, o problema é muito mais complexo." Como Julia escreveu, Mercadante acreditava ser uma espécie de guardião da ética no Planalto, em ação alinhada com a presidente, contra os vícios da política tradicional. O ex-presidente Lula via de forma diferente. Achava que a articulação política do governo estava engessada e precisava de uma "chacoalhada".

Em abril de 2015, a presidente delegou a tarefa a seu vice, Michel Temer. Era uma de suas primeiras tentativas de pacificar a relação com o Congresso, onde estava sofrendo derrotas sucessivas, e com o PMDB, o partido mais forte no Legislativo. No arranjo, Temer atuaria ao lado do então ministro da Aviação Civil, Eliseu Padilha. A eles caberia a negociação sobre cargos e verbas. Havia uma pressão de Renan e de Cunha, a quem Temer e Padilha sempre foram muito ligados. O governo mal completara cem dias, e uma sucessão de reveses, agravados desde a eleição de Eduardo Cunha para a presidência da Câmara dos Deputados, mostrava um Executivo perdido: a agenda daquele ano corria o risco de ir à deriva. A missão de Temer era viabilizar a aprovação do ajuste fiscal num momento delicado – o procurador-geral da República, Rodrigo Janot, havia pedido ao Supremo Tribunal Federal a abertura de inquérito contra 48 políticos, entre os quais Eduardo Cunha e Renan Calheiros.

Temer e Padilha são profissionais do ramo, conforme a história mostrou. Entendem como poucos os meandros das negociações com os parlamentares. Sabem explorar as fraquezas e o apetite da raia miúda, média e grande do Congresso. Mais tarde se ouvia no Palácio do Planalto a avaliação de que a presidente e Lula haviam entregue o "ouro ao bandido": Padilha garantira para si um mapa completo dos cargos e sua divisão entre os partidos da base de apoio ao governo. Ele usaria essas informações preciosas nas negociações para o impeachment de Dilma e a montagem do governo Temer. Talvez a presidente pressentisse o que a esperava – por desconfiança ou para testar as habilidades do vice, atuou com um pé atrás, pedindo a Temer e a Padilha que agissem em parceria com Aloizio Mercadante e Ricardo Berzoini, à época ministro das Comunicações. Ela resistia à ideia de garantir autonomia de voo para as águias do PMDB.

Os problemas não tardariam a chegar, atrapalhando a agenda econômica no Congresso. Nomeações demandadas pelos aliados demoravam a sair. Verbas negociadas eram barradas pelo ministro da Fazenda. Desconfianças mútuas entre o Palácio do Planalto e o grupo do vice-presidente – para não falar entre a presidente e o seu vice. No começo de agosto, Temer recebeu um grupo de deputados da base governista. Ameaçavam aprovar pautas-bomba caso suas indicações não fossem destravadas. O impacto no caixa do governo seria de bilhões, para pavor de Dilma e Levy. Mal deixou o encontro, o vice-presidente ligou para a presidente e avisou, sem rodeios: "Vai acontecer um desastre." Ofereceu-se então para fazer um pronunciamento capaz de sensibilizar os políticos sobre o momento crítico do país. "Faça isso", respondeu-lhe Dilma. Temer convocou a imprensa e, na porta da Vice-Presidência, falou sobre a necessidade de união de todos. Calculadamente ou sem querer, ele deixou escapar uma das suas frases mais célebres, daquelas que engrossariam a massa de argumentos em favor da tese de que se tratava ali de um vice-presidente golpista de olho na cadeira de Dilma: "É preciso que alguém tenha capacidade de reunificar a todos, reunir a todos, de fazer esse apelo. Eu estou tomando a liberdade de fazer este pedido porque, caso contrário, nós podemos entrar numa crise desagradável para o país." Implicitamente, o vice-presidente dizia que a presidente não era aquele alguém. Ninguém no Palácio do Planalto engoliu. Muito menos Dilma.

O clímax dos problemas na articulação política se deu em agosto, com uma disputa pela liberação de R$ 500 milhões em verbas destinados pelo Orçamento a projetos em redutos eleitorais de políticos aliados ao governo. Levy entrou no epicentro da disputa: Padilha negociou, mas não levou. Temer chegava ao quarto mês como o articulador político e jogava a toalha. Nos bastidores, dizia-se cansado do teste de fidelidade imposto pela presidente e seus auxiliares mais próximos. À presidente falou com clareza, embora não apontando o dedo diretamente a ela. "Tenho um capital político de 33 anos. Estou sendo sabotado. As pessoas estão cobrando meu cartão de crédito", disse a Dilma na manhã de 24 de agosto, quando lhe avisou que deixaria o posto de articulador oficial. Queixou-se de intrigas e fofocas, surgidas especialmente depois da sua entrevista na qual mencionou a necessidade de alguém reunificar o país. A presidente buscou rechaçar a interpretação generalizada de que ele se credenciava para assumir o poder em caso de impeachment. Lembrou-lhe que era imprescindível e que sair naquele momento seria ruim para o governo. O vice insistiu, e Dilma teve de aceitar.

As dificuldades com o Congresso e a Lava Jato formavam o caldeirão de problemas políticos para o governo. Isso fazia Joaquim Levy chegar a um diagnóstico, que mais tarde se ouviria bastante da presidente: boa parte dos problemas econômicos enfrentados pelo país em 2015 decorreu menos de questões econômicas (que existiam) ou de eventuais divergências na equipe do governo (que também não eram segredo) e mais das incertezas políticas. Estava na crise política e nas dificuldades de aprovação de medidas no Congresso, pensavam Dilma e Levy, a raiz das desconfianças dos empresários que não investiam e nas empresas que não pagavam seus impostos, minando ainda mais a arrecadação tributária.

Capítulo 7

"LEVY VAI SAIR?"

Para um segundo mandato iniciado com a bandeira do ajuste fiscal e da recuperação da política de contas no azul, em menos de cinco meses a situação começou a parecer trágica. Os resultados estavam longe do pretendido originalmente. Ao contrário, os números pereciam. As receitas públicas desciam ladeira abaixo. As perspectivas de crescimento econômico mostravam-se mais distantes e sombrias. Quanto mais prognósticos pessimistas surgiam, mais evidente ficava a divergência, pública ou reservada, quanto à estratégia para estancar a queda.

A primeira grande exibição dessa divergência deu-se em maio, quando uma gripe atravessou os prédios onde funcionam o Ministério da Fazenda e o Ministério do Planejamento e gerou notícia por muitas semanas. Era uma sexta-feira, dia 22, quando os ministros Joaquim Levy e Nelson Barbosa anunciariam o corte do orçamento federal para os próximos meses – contingenciamento, segundo o jargão orçamentário, tarefa necessária para atualizar o mercado quanto ao padrão de receitas e mostrar a sua estratégia para atingir a meta de superávit primário estabelecida para o ano (1,2% do PIB, definida meses antes). Como de praxe, os jornalistas econômicos passaram os dias anteriores especulando o tamanho do contingenciamento a ser anunciado. Sempre com bases em fontes não identificadas, soltava-se todo tipo de número – esse jogo de especulações costuma ser uma das tarefas mais desagradáveis que todo assessor de imprensa do Ministério da Fazenda enfrenta. Percorria-se um largo espectro que ia de R$ 50 bilhões a R$ 100 bilhões. Levy cometera pelo menos um erro dias antes – deixara escapar numa entrevista para diversos jornalistas que o "piso" para o contingenciamento de gastos era de R$ 70 bilhões (na Fazenda havia quem defendesse um número mais próximo a R$ 80 bilhões).

O número a ser anunciado era de R$ 69,9 bilhões – 100 milhões a menos do que o piso anunciado previamente por Levy. Era um número significativo. Um corte bastante forte. Com o anúncio marcado para as 15 horas, o secretário do Tesouro, Marcelo Saintive, e eu nos reunimos pela manhã, no gabinete do ministro, para discutir a apresentação da tarde. Levy e Nelson Barbosa fariam uma apresentação dividida em duas partes. Para nossa surpresa, o ministro avisou: "Acho que eu não vou. Marcelo, você faz a apresentação com o Nelson no meu lugar." Saintive e eu nos entreolhamos e perguntamos na mesma hora, com ênfase: "Por quê?" Levy respondeu o que seria a resposta pública para aquela ausência: "Estou muito gripado." O ministro foi lembrado do que já sabia: aquela ausência abriria a porteira das especulações. Selaria um estresse grande dentro do governo. Alimentaria dúvidas adicionais sobre a equipe econômica e o mal-estar dentro dela. Seriam inevitáveis as perguntas sobre uma eventual desistência do ministro da Fazenda em relação ao governo. "Vão lá e cuidem disso. Se eu for, só vão perguntar sobre aumento de impostos", encerrou Levy, referindo-se a uma frustração vivida por ele naquela semana: ele havia pedido o adiamento da edição da medida provisória que aumentava de 15% para 20% a taxação dos bancos via Contribuição Social sobre Lucro Líquido, a CSLL. Ele queria ter mais tempo para dialogar com o setor financeiro e evitar uma taxação surpresa, mas a presidente Dilma foi contra e publicou a MP já naquela sexta-feira, dia do anúncio do corte do orçamento. (Na época, houve quem escrevesse que o ministro era contra a taxação, uma inverdade. Pouca gente sabe, mas a ideia partiu do próprio ministro, numa de suas reuniões em que juntava os secretários em seu gabinete, entre a meia-noite e as três horas da manhã.)

Levy foi obedecido, e Saintive o representou no Ministério do Planejamento, onde ocorreria o anúncio. A crise não tardou a aparecer. Primeiro, a placa com o nome do ministro da Fazenda só foi retirada cinco minutos antes de começar a apresentação – tempo suficiente para a cadeira vazia ser fotografada junto com o nome de Levy. Segundo, uma enxurrada de perguntas de repórteres sobre a ausência. De lá, por e-mail, o ministro soube do questionamento generalizado. "Estou gripado", insistiu Levy. Saintive esteve na mesa de apresentação ao lado do ministro Nelson Barbosa, mas acabou quieto o tempo inteiro. Barbosa se responsabilizou sozinho, gesto interpretado pelos jornalistas como uma retaliação do ministro do Planejamento ao colega da

Fazenda. "Não leiam isso como mais que uma gripe", disse logo no início de sua fala, ao explicar a falta de Levy.

Nenhum repórter cumpriu sua recomendação, e as especulações se espalharam em profusão. A predominante foi a de que o chefe da equipe econômica faltou ao anúncio por discordar do tamanho do corte. Outra versão sugeria que Levy se sentira especialmente desprestigiado pelo valor anunciado, pois simbolicamente os R$ 69,9 bilhões exibiam apenas uma casa a menos do que ele anunciara como "piso" para o contingenciamento. Havia mais versões, segundo os relatos posteriores ao anúncio: escreveu-se que Levy não quis participar da entrevista porque sua apresentação seria muito mais realista do que a de Nelson Barbosa; por fim, mas não menos importante, que o ministro da Fazenda sentia-se só naquele momento. Não enxergava ninguém do alto escalão do governo se solidarizando com sua cruzada pelo ajuste fiscal – nesta versão, a presidente dava amparo a Levy, mas muitas vezes ouvia mais os argumentos de Barbosa.

Deixamos correr todas as versões. O ministro também não se esforçou naquele dia para oferecer contra-argumentos em favor da gripe. Mas cuidou de promover um gesto simbólico para evitar especulações mais extremas: na hora de deixar a sede do ministério, rumo ao aeroporto, onde pegaria o voo para o Rio de Janeiro, fez questão de deixar uma mensagem, transmitida aos jornalistas que faziam a cobertura na Fazenda: "Volto novo na segunda." Com seu humor e ironia, no limite da responsabilidade, ele desmobilizava com o recado as insinuações de demissão.

No fim de semana, a estratégia adotada foi mais enfática. Palácio do Planalto, de um lado, e o próprio Ministério da Fazenda, de outro, trataram de buscar cravar no noticiário a rejeição absoluta a qualquer possibilidade de saída de Levy do governo. No Planalto, passou-se o recado de que uma possível saída do ministro, naquele cenário de dificuldade financeira e política, era vista como desastrosa. Na Fazenda, descartava-se um eventual pedido de demissão de Levy. A preocupação central era a reação do mercado financeiro na segunda-feira.

O ministro sabia disso, e logo ao chegar na manhã de segunda-feira ao Ministério da Fazenda fez o que evitava fazer: falar com os jornalistas que ficavam na portaria. "O contingenciamento é necessário porque as receitas previstas no Orçamento, que foi aprovado um mês atrás, não têm conexão com a realidade da arrecadação", disse Levy. Em seguida foi para a reunião de coordenação política no Palácio do Planalto, que ocorria habitualmente às 9 horas nas segundas-feiras. Na reunião, o vice-presidente Michel Temer pediu à presidente Dilma que garantisse o apoio do PT e do governo ao pacote de ajuste fiscal. Temer via um PT cada vez mais vacilante no apoio ao ajuste. Também insatisfeito por ter sido alijado de uma reunião do núcleo decisório do Palácio do Planalto, o vice-presidente ressaltou que a coordenação política não funciona se não estiver também no centro das decisões do governo. A oposição do PT ao ajuste fiscal é localizada, respondeu-lhe a presidente. Mais do que isso, as medidas lançadas pelo ministro da Fazenda teriam o apoio integral do governo.

Encerrada a reunião, Levy e o chefe da Casa Civil, Aloizio Mercadante, foram escalados para dar entrevista aos jornalistas (a cada pauta do encontro a própria presidente escolhia dois ou três ministros para serem os porta-vozes da reunião). Dessa vez, foi a ausência de Nelson Barbosa a falta notada. Ele tinha uma consulta médica para tratar de dores nas costas. "Barbosa não veio hoje, mas não é porque pegou a gripe do Levy", brincou Mercadante, distensionando previamente a entrevista. "Não houve divergências, eu estava realmente resfriado ou gripado. Houve um certo alvoroço em torno dessa história, mas eu expliquei o que estava acontecendo", garantiu Levy, tossindo logo em seguida ao microfone, arrancando mais risos dos jornalistas. Na entrevista, Mercadante foi enfático na defesa do ajuste fiscal e garantiu não haver dissonâncias dentro do governo quanto à agenda.

Naquele dia, o jornal *Valor Econômico* estampou uma manchete afinada com a mensagem pretendida pelo Ministério da Fazenda: "Reveses preocupam Levy, mas ministro fica no cargo". No texto, Cláudia Safatle e Leandra Peres escreveram que, com a ausência, "o principal ministro do governo da presidente Dilma Rousseff quis deixar claro que, a prosseguirem as dificuldades políticas em torno do ajuste fiscal, o resfriado pode virar gripe, avançar para uma pneumonia e, chegando nesse ponto, tirar o próprio ministro, definitivamente, da cena". Na reportagem, ficava claro o recado de Levy: sairia se ficasse ainda mais difícil a compreensão sobre o ajuste fiscal e se o PT não assumisse o ajuste também como seu. Mas ressalvava que a palavra de ordem do ministro era "persistência".

"Levy queria que seu gesto, para não chamar de rebeldia, forçasse o apoio público do governo a seu desenho de arrocho fiscal, o que, de fato, aconteceu", escreveu Natuza Nery, na *Folha de S.Paulo*. Para questionar em seguida: "Há quem diga que a estratégia é justificável. Afinal, sem um corte real e duro, a economia brasileira vai mesmo para o buraco. Mas pode um ministro da Fazenda executar uma jogada assim? Levy sabia que seu W.O. no anúncio do corte alimentaria especulações sobre sua saída e mexeria de forma ruim com o mercado financeiro. Ele até conseguiu o que queria: tirar o Palácio do Planalto do silêncio e passar a imagem de embarque integral em sua agenda. Mas a que preço?"

O gesto de Levy mexeu com o mercado financeiro, claro. O dólar amanheceu segunda-feira cotado a R$ 3,096, teve uma leve queda para R$ 3,090 após a declaração de Levy na portaria do ministério, mas subiu para R$ 3,135 durante a reunião no Palácio do Planalto. Com a entrevista coletiva ao lado de Aloizio Mercadante, a cotação caiu e acabou fechando em R$ 3,115. Na bolsa, o principal índice da BM&FBovespa, o Ibovespa, chegou a cair até 0,75%, mas fechou em alta de 0,43% quando ficou claro que o ministro da Fazenda não deixaria o governo. Dias assim se tornaram frequentes na rotina do Ministério da Fazenda e do Palácio do Planalto, e não raro corríamos para soltar declarações ou informações a fim de evitar mudanças abruptas ao longo do dia. Era uma operação tensa, que precisava contar com negociações contínuas com agências como Broadcast, Valor PRO, Bloomberg e Reuters – cujas notas e matérias iam direto para as mesas de operações.

Mas aquela se tornaria a primeira de muitas operações que ora serviam para demonstrar a insatisfação de Joaquim Levy com o restante do governo, ora para reforçar a sua permanência – o efeito, no fim das contas, era ruim para a presidente Dilma, que via evaporar aos poucos a confiança na política econômica, nas suas escolhas e na sua firmeza na condução da agenda que agradava a empresários e ao mercado financeiro. Também prejudicavam a própria reputação do ministro dentro e fora do governo. De um lado, seus apoiadores passaram a recomendar quase abertamente: saia daí. De outro, começou a crescer o volume de notas e reportagens desabonando Levy.

Como o texto assinado por Natuza Nery, em 5 de julho: "Dilma demonstra impaciência e passa a questionar Levy em reuniões." Era uma típica matéria de Brasília, sem declarações oficiais, fundamentada em informações de bastidores e repleta de maldades das fontes ouvidas pela repórter. "Joaquim Levy tem recebido pouca atenção da presidente", dizia. Segundo a reportagem, nas reuniões internas do governo, o ministro da Fazenda passou a ser constantemente questionado pelos colegas e pela própria chefe: "A discordância aumentou à medida que a crise econômica acelerou a queda na popularidade de Dilma Rousseff." O texto falava em "climão": com seis meses à frente do Ministério da Fazenda e inicialmente o queridinho todo-poderoso da presidente, Levy havia ido parar na geladeira. "Cansada de ouvir 'não' do auxiliar, e envenenada por queixas de ministros classificando-o de 'arrogante' e 'solista', por nunca dividir a bola, Dilma começou a transparecer alguma insatisfação", complementava Natuza. Era um destino comum para quem convivia com a presidente: quando ela se aborrecia com algo, mandava o auxiliar para a "Sibéria", até que sua paciência fosse restabelecida. Ninguém escapou dessa rotina. Publicada a reportagem, Levy não atiçou a polêmica. Mesmo internamente, não enxergou nela as digitais dos adversários costumeiros: Aloizio Mercadante e Nelson Barbosa. Preferiu creditar a assessores menos graduados.

Em 17 de julho, o *Valor* publicou uma reportagem analítica de Leandra Peres. "O ministro da Fazenda não aprovou a primeira fase do ajuste fiscal no Congresso exatamente como queria", iniciava o texto. "Conseguiu muito, mas pagou o preço de ver arranhada a imagem do ministro que saiu do gabinete para ser o negociador político da política econômica do governo Dilma Rousseff." Segundo ela, ao chegar ao Congresso Levy estava com o moral alto entre parlamentares. Conseguiu, por exemplo, um acordo positivo para negociar a correção da tabela do Imposto de Renda, deu ao governo uma boa notícia para anunciar à classe média. Desde então, o desgaste sugeria uma comunicação política mais afinada. "Nos bastidores", escreveu Leandra, "há críticas sobre a postura ministerial de quem quer tudo resolvido e voltado rapidamente para os resultados, e nos termos definidos pela Fazenda. Levy, para quem negocia com ele no Congresso, perde menos por causa do mérito e mais pela forma como conduz as conversas".

A reportagem, no entanto, definia com "ainda boa" a imagem de Levy junto a líderes partidários: "O Congresso realmente apreciou o estilo do ministro que sai de seu gabinete e vai lá explicar, sem ter hora para parar de trabalhar." O problema, concluía-se, ainda era a comunicação política e a negociação do vice-presidente Michel Temer, que encontrava resistência dentro do governo para entregar o prometido a deputados e senadores – inclusive a resistência do ministro da Fazenda em liberar recursos para pagar as chamadas emendas parlamentares.

Juntamente com matérias desse tipo, os jornalistas produziam uma pergunta em profusão: "Levy vai sair?" Entre maio e dezembro se ouviria esta pergunta diariamente, de maneira ininterrupta. Repetitiva e exaustivamente. Nenhum ministro resistiria muito tempo trabalhando sob a sombra de uma eventual saída do governo. Era mais grave ainda por se tratar de um ministro da Fazenda. Nenhuma economia resistiria a ataques especulativos diários dessa forma. E quando uma economia não resiste, a confiança num presidente da República desaba. Um roteiro sombrio estava por vir.

Capítulo 8

O RISCO SOBE, A ECONOMIA DESCE...

A profecia se cumpriu. Era o início da noite de 9 de setembro de 2015 quando a agência de classificação de risco Standard & Poor's anunciou o que o ministro da Fazenda, Joaquim Levy, mais temia: rebaixou a nota do Brasil e retirou o selo de "bom pagador", o grau de investimento com o qual o país tanto vibrara sete anos antes. A condição de *investiment grade* elevara o Brasil ao status de economia atraente para investidores internacionais, pois o selo costuma ser exigido por fundos de investimento e fundos de pensão bilionários para aplicar em títulos de dívida de governos. Mas naquele momento, com o rebaixamento, a agência reduzia o Brasil à categoria de segunda classe.

A S&P foi a primeira agência de classificação de risco a elevar o Brasil ao grau de investimento, em abril de 2008, no segundo mandato do presidente Luiz Inácio Lula da Silva. Naquele momento, a reação deu-se em cadeia: após a primeira obtenção do *investiment grade*, vieram as chancelas da Fitch (maio de 2008) e da Moody's (setembro de 2009). Agora, em 2015, a S&P era a primeira a rebaixá-lo – com o risco similar de rebaixamento em cadeia. O ponto grave é que os tais fundos de investimento e de pensão pedem que a aplicação seja considerada grau de investimento por, pelo menos, duas das grandes agências. Ou seja, a possível saída em massa desses investidores só ocorreria depois da decisão da Moody's ou da Fitch. Era o maior temor no Ministério da Fazenda: a contaminação. A decisão da S&P poderia acelerar definições das outras agências.

Levy via essa possibilidade como o pior dos mundos para a economia brasileira e se espantava com o fato de que muitos políticos recebiam com ar de normalidade a notícia. E a ameaça estava no ar: semanas antes, a S&P

já havia criticado deputados e senadores por dificultar o ajuste fiscal do governo. Mas a agência dera um crédito a Joaquim Levy e, por essa razão, muitos esperavam que qualquer reavaliação da nota brasileira só ocorreria no ano seguinte. Engano: naquela segunda semana de setembro, a nota do país caiu de BBB- para BB+. O Brasil passou a ter a mesma avaliação da Rússia, que sofreu embargo internacional devido à Guerra da Crimeia, e foi duramente afetada pela queda do preço do petróleo. Fez mais: colocou o país em perspectiva negativa para nova redução de sua classificação, dizendo que havia mais de "uma chance em três" de a situação piorar.

Ao conceder ao Brasil a medalhinha de possível caloteiro, a agência questionou o comprometimento e a coesão do governo para arrumar as contas públicas. Um fator, em especial, fez a agência brecar a trégua imaginada: no final de agosto, o governo enviou ao Congresso uma proposta de Orçamento para 2016, com previsão de déficit. Num ano em que a meta fiscal começou com a marca de superávit primário de 1,2% do Produto Interno Bruto (PIB) do país e foi reduzida em seguida para 0,7% do PIB, o governo admitia oficialmente que, para 2016, trabalhava com o risco real de fechar o ano com as contas no vermelho. A S&P interpretou aquele orçamento deficitário como "falta de habilidade" e "falta de vontade" do governo da presidente Dilma Rousseff. Disse que o crescente tumulto político reduzira "a capacidade e a vontade do governo de elaborar um Orçamento coerente" com as promessas do início do segundo mandato. Lembrou que o governo baixara de novo a meta de superávit "seis semanas depois de ter cortado a meta anterior".

Em conferência sobre a perda do selo de bom pagador do Brasil, a analista da instituição para o país, Lisa Schineller, disse que Levy planejava "pôr em ação medidas de recuperação", mas admitia ter "incertezas quanto à viabilidade e o sucesso disso". Por fim, a S&P previu um triênio de déficits fiscais – na média, a agência imaginou um déficit médio de 7% para os anos de 2015, 2016 e 2017. Resultado: a dívida pública cresceria de maneira inquietante. Um desastre, com risco de desordem econômica ainda maior do que aquela vista até ali.

A presidente Dilma recebeu depois das 14 horas a notícia de que o Brasil perderia o grau de investimento – foi informada pelo ministro Joaquim Levy. Imediatamente convocou uma reunião de emergência em seu gabinete com os ministros Aloizio Mercadante e Nelson Barbosa. Ambos haviam sido os maiores defensores da proposta de enviar ao Congresso um Orçamento com previsão de déficit – justamente o principal argumento citado pela S&P para o rebaixamento. "Não é o fim do mundo", garantiu-lhe um deles. Na reunião, Dilma tinha uma ordem a passar aos dois: dar um "ar de normalidade" à notícia. Levy não estava na reunião no Palácio por se encontrar em São Paulo. Ele acabara de retornar de viagem à Europa e se instalara naquela tarde no escritório do Ministério da Fazenda, na avenida Paulista. A presidente recomendou-lhe ser, dali mesmo, o porta-voz da reação do governo ao rebaixamento.

Foi quando começou uma sucessão de equívocos de comunicação, desencontros, infelizes coincidências e falta de sorte pura e simples. No momento em que a agência anunciou o rebaixamento, eu tinha em mãos uma proposta de nota a ser divulgada em nome do Ministério da Fazenda. Como de praxe nesses casos, a nota à imprensa (e ao mercado) precisaria do aval do ministro – e, assim como a presidente Dilma, ele gostava de passar e repassar linha a linha de cada nota relevante como aquela. O Palácio jamais acreditaria, mas a nota ficou na mesa do ministro enquanto ele não parava de receber telefonemas. Amigos, economistas, empresários, gente do mercado financeiro, todos queriam falar com ele, ouvir algum sinal de alento, alguma informação adicional, alguma previsão sobre os próximos passos tanto do ministro quanto do governo.

Enquanto isso, jornalistas de Brasília e de São Paulo cobravam um posicionamento da Fazenda e de Levy. Uma entrevista, uma nota, uma frase – qualquer coisa lhes serviria para repercutir a decisão da S&P. (Nada diferente do que estávamos acostumados a enfrentar diante de qualquer notícia para a economia, fosse boa ou ruim.) O telefonema mais importante veio da Secretaria de Comunicação Social da Presidência: o ministro Edinho Silva e sua equipe – à qual eu passaria a me integrar somente no fim daquele mês de setembro – cobravam a divulgação imediata da nota da Fazenda. Eles tinham razão: o governo não poderia perder o *timing* da reação. Notícias negativas se espalhavam em profusão por sites, blogs, versões on-line dos jornais, agências de notícias. Era preciso o quanto antes aplacar as reações negativas, e isso só seria minimamente bem-sucedido se o posicionamento do governo, em geral, e da equipe econômica, em particular, se tornasse público imediatamente.

O Planalto também recomendava ao ministro conceder entrevista à TV Globo, de modo que sua fala aparecesse no *Jornal Nacional*, ao lado da notícia do rebaixamento. Fazia parte de qualquer estratégia de comunicação ocupar o espaço do telejornal mais assistido do país. Levy parecia resistir. Ele não dizia isso explicitamente, mas a sensação era que passara meses lutando para evitar aquela situação, defendendo o equilíbrio das contas e a busca de superávits primários, num esforço monumental, mesmo contra a vontade do partido da presidente e de integrantes do governo. E agora, com aquela notícia consumada, caberia a ele pôr a cara a tapa. Ossos do ofício, não haveria outro ministro mais necessário para aquela missão espinhosa.

No dia seguinte, o jornalista Fernando Rodrigues publicaria em seu blog, no portal UOL, a informação de que Levy enclausurara-se na sede do Ministério da Fazenda, em São Paulo, enquanto uma equipe do *Jornal Nacional* tentava entrar no edifício para entrevistá-lo, sem sucesso – segundo Rodrigues, os jornalistas telefonaram para pedir ajuda ao Palácio do Planalto, que tentou liberar a entrada, também sem sucesso. "A ordem para impedir a reportagem do telejornal entrar era do próprio ministro."

Delírio ou maldade? Como Fernando Rodrigues não era dado a delírios, interpretei o seu texto como um típico embarque na maledicência palaciana. A explicação era mais prosaica do que versões conspiratórias (mas igualmente difícil de o Palácio engolir, seria preciso reconhecer): mergulhados na sala do ministro entre telefonemas, aprovação da nota e contatos de jornalistas, empresários e economistas, não fomos acionados imediatamente pela secretária. O próprio Edinho Silva alertou por telefone que a equipe da emissora iria à Fazenda. Até hoje, gente que trabalhava no Palácio do Planalto tem a convicção de que Levy se escondeu para não dar entrevista e impediu a entrada da Globo. No fim das contas, nunca se soube quem vazou aquela informação, com aquela leitura, para o jornalista Fernando Rodrigues.

Mas o fato é que, tão logo se soube que a equipe da Globo já havia chegado à recepção do edifício, a entrada foi autorizada. Quando isso ocorreu, porém, o *timing* para o *Jornal Nacional* passara. Em Brasília, a presidente havia escalado o ministro do Planejamento para dar uma entrevista coletiva aos jornalistas que cobriam o Palácio – e assim passar o posicionamento do governo no horário nobre. Não deixava de ser uma ironia, já que Nelson Barbosa simbolizava a face mais visível da divergência com Joaquim Levy. Um ministro relutante, nervoso e convicto de que fora escalado para uma missão indesejável apareceria no *Jornal Nacional* naquela noite. Barbosa afirmou que o governo foi pego de surpresa pela má notícia, mas ressaltou que a situação

"será revertida à medida que as condições econômicas do país melhorem".
O ministro disse ainda que o Brasil se encontrava "numa fase de transição,
de travessia, num momento de dificuldade econômica que já ocorreu no
passado e que outros países também já atravessaram". Era a mensagem de
normalidade pedida pela presidente. Para o Palácio do Planalto, era preciso
dizer que as incertezas políticas constituíam o principal motivo para a queda
da nota. O próprio Nelson reconheceria mais tarde que não era para ele estar
ali – não foi uma boa aparição.

A nota da Fazenda só se tornaria conhecida do público depois das 21
horas. O ministro a assinava. Ali se destacava o compromisso do governo
brasileiro com a consolidação fiscal: "O governo entende que o esforço fiscal
é essencial para equilibrar a economia em um ambiente global de incerteza."
Informávamos ainda que "o processo para se garantir a meta de superávit
primário de 0,7% do PIB em 2016 será completado nas próximas semanas com
o envio de propostas na área de gastos e receitas discutidas com o Congresso
Nacional". Esclarecemos que haveria também, "nos próximos meses, (...) ações
legislativas de caráter estrutural para aumentar a eficiência, previsibilidade e
produtividade da economia". Não detalhamos quais seriam essas ações nem
como seriam propostas para que chegássemos ao superávit de 0,7%.

Após a divulgação da nota, Levy concederia duas entrevistas em menos
de 24 horas. A primeira seria naquela noite, no estúdio do *Jornal da Globo*.
A segunda, uma coletiva no dia seguinte, em Brasília. Acertada em cima da
hora, a entrevista atrapalharia muito a imagem do ministro – e eu fui um
dos responsáveis por isso, ao cometer um erro imperdoável para um assessor
sênior de um ministro da Fazenda. Primeiro: com a pressa, a polêmica e
o estresse com Brasília, não tivemos tempo de esboçar uma estratégia de
discurso. Quando chegamos à sede da Globo, em São Paulo, e feitas as
apresentações iniciais aos jornalistas William Waack e Cristiane Pelajo, Levy
convidou a mim e a Fabrício Dantas (o secretário-executivo adjunto e seu
principal conselheiro) para discutirmos brevemente uma estratégia para a
entrevista. Deixei de atentar para algo elementar: verificar com antecedência
o posicionamento do ministro diante dos entrevistadores e das câmeras.

O resultado foi trágico na forma e ruim no conteúdo. Waack e Pelajo
apareceram num patamar mais alto, na bancada do telejornal, enquanto o
ministro recolhia-se, sentado, numa cadeira instalada num nível mais baixo.
Para completar, Levy surgiu com as mãos juntas e os pés obsequiosamente

cruzados. Negociar as aparições públicas de autoridades é uma das tarefas de estrategistas de comunicação, e ali, numa hora fundamental para o governo, para o ministro e para a economia brasileira, a presença no *Jornal da Globo* se mostrava, do ponto de vista imagético, um desastre. Para completar, havia o constrangimento de Levy em relação ao governo – ele sabia que o rebaixamento era, em grande parte, fruto de erros e desencontros do governo, mas não poderia dizer isso abertamente. Esse constrangimento ficou claro quando conversamos brevemente antes da entrevista: sabíamos que Waack era um reconhecido crítico da gestão da presidente e possivelmente procuraria confrontar as intenções do ministro com a prática do Palácio (razão similar para sugerir-lhe não conceder uma entrevista às páginas amarelas da revista *Veja*).

O ministro começou nervoso mas, ao longo da entrevista, se soltou e respondeu às perguntas de maneira razoavelmente satisfatória. No fim das contas, foi bem, mas ficaram cristalizados pelo menos dois grandes problemas: o debate sobre o corte de despesas (e um eventual imposto para cobrir as dificuldades orçamentárias) e a polêmica sobre a meta fiscal. Sobre o primeiro ponto, Levy disse: "A gente vai ter que fazer essas escolhas. Qual vai ser exatamente o imposto, quanto vai ser, qual vai ser exatamente o corte, a gente vai conversar, foi isso que o Congresso pediu para a gente. E, depois, eu acho que nas próximas semanas o governo vai ter que fazer isso com muita clareza." Em relação à meta fiscal, afirmou: "Nós queremos equilíbrio fiscal. A gente quer atingir a meta, que é necessária para trazer tranquilidade para a economia brasileira." Eram temas-símbolo das dificuldades enfrentadas por Levy e pela própria presidente. Mesmo na entrevista do dia seguinte, o ministro não anunciaria – e nem poderia, pois não havia consenso a respeito – quais os cortes propostos pelo governo. E ainda teria de fazer rodopios retóricos para equilibrar-se entre um governo que, segundo ele, queria tanto o equilíbrio fiscal quanto atingir a meta, mas enviava uma proposta de Orçamento para 2016 ao Congresso prevendo um rombo de mais de R$ 30 bilhões.

Também no dia seguinte, da Argentina, o ex-presidente Lula ofereceria uma cereja adicional ao bolo disforme daquele momento: "Me assusta muito a visão de todos aqueles que, ao primeiro sintoma de uma crise, começam a falar em ajuste. Ajuste significa corte de salários, corte de emprego, significa voltar ao patamar de miséria que você estava [antes] para poder recuperar a economia. A mim, não agrada", disse, num seminário organizado pela fundação controlada pelo governador Daniel Scioli, na época candidato à presidência da Argentina, com o apoio de Cristina Kirchner. "Todas as experiências de ajuste que foram feitas levaram os países à perda de postos de trabalho e ao empobrecimento da população." Disse mais: o rebaixamento pela S&P não significava "nada": "Significa apenas que a gente não pode fazer o que eles querem. A gente tem que fazer o que a gente quer." (Obviamente a imprensa confrontou essa declaração com a euforia demonstrada por ele quando a mesma Standard & Poor's deu ao Brasil o grau de investimento, em 2008.)

Lula estava cada vez mais irritado com Levy, e também com Dilma. Na época, não disfarçava sua insatisfação com o que considerava falta de rumo do governo – e que, segundo ele, causava desânimo na sociedade. Um governo deprimido, definia. E prometia falar mais o que pensava dali por diante. A estratégia de Lula seguia seu padrão habitual na relação com a presidente: sempre que se sentia ignorado por ela, fazia um discurso elevando o tom crítico. O roteiro tensionaria a convivência com Dilma e faria o ministro da Fazenda apanhar em público de muitos petistas, animados com as críticas de seu líder maior.

Capítulo 9

... E OS EMPRESÁRIOS BALANÇAM

Os meses de agosto e setembro protagonizaram uma soma infindável de especulações sobre os rumos do governo – o processo de impeachment revelava-se uma ameaça perene, mas a economia ditava a ordem dos debates acalorados, das fofocas palacianas e dos riscos para o país, tanto quanto as incertezas políticas. Foram dias de intensa articulação nos bastidores. Nas hostes do PT, corria o enfrentamento aberto contra o ministro da Fazenda, Joaquim Levy, enquanto o ex-presidente Lula se sentia cada vez mais impaciente por não ser ouvido pela presidente Dilma. Lula e o PT cobravam mudanças na política econômica. O ex-presidente também despejava lamentos contra o ministro-chefe da Casa Civil, Aloizio Mercadante, que, por seu estilo, se indispusera com o PMDB e com parte dos aliados e passara a ser rejeitado até por uma ala significativa do seu partido. As especulações cresceriam em setembro em torno da sua saída, de uma possível desistência ou queda de Joaquim Levy e de uma eventual flexibilização das políticas fiscal e monetária para estimular o crescimento da economia nos dois ou três anos seguintes.

A quarta-feira, dia 2 de setembro, foi um desses dias decisivos, nos quais aqueles que trabalham no governo com alguma mínima informação têm a sensação de ver a história passar bem perto. Mais do que isso, têm a convicção de que o governo pode desabar ao menor sinal de uma falha. Naquele dia desembarcava em Brasília o presidente do Bradesco, Luiz Carlos Trabuco, para conversar com a presidente Dilma Rousseff. Homem forte de um dos maiores bancos do país, Trabuco é, para muitos, mais do que um executivo; é integrante de uma mítica dinastia. Nos mais de setenta anos de história do

Bradesco, ele é apenas o quarto homem a ocupar a presidência da instituição – linhagem iniciada pelo legendário Amador Aguiar. Trabuco encarna o espírito Bradesco. Segue com rigor a liturgia do cargo desde 2009, com a marca recomendada por Lázaro Brandão, sucessor de Aguiar e presidente do Conselho de Administração: discreto e contido nos atos e nos gestos.

Tanto Lázaro Brandão quanto Trabuco se aproximaram de Dilma Rousseff. Ambos se tornaram uma chancela importante para a ascensão de Joaquim Levy ao Ministério da Fazenda – e também para a sua permanência. No entanto, a interlocução permanente entre Trabuco e a presidente não se devia somente ao fato de se tratar do principal executivo de um dos maiores bancos privados da América Latina. Dilma passou a nutrir respeito e admiração por ele, a quem ouvia constantemente. Esse encantamento subiu mais alguns degraus em 2013, quando Trabuco veio a público anunciar a concessão de crédito de longo prazo a empresas que investissem na construção de estradas no país. O presidente do Bradesco e o Planalto ficaram ainda mais próximos.

Naquela quarta-feira, Trabuco tinha uma conversa com a presidente sobre a política econômica do governo. Sobre Joaquim Levy. Sobre o futuro da economia num momento de turbulência financeira e política. Também, portanto, sobre o governo. As semanas anteriores haviam sido marcadas por tensão e dúvidas quanto à permanência de Levy – assim se deu durante toda a sua gestão, mas naquele momento chegou a níveis incontestáveis. Agosto foi um mês de piora nas contas públicas e montagem da proposta de Orçamento de 2016, que o governo precisava enviar ao Congresso. As projeções indicavam um número sombrio: uma diferença de espantosos R$ 64 bilhões – o dinheiro necessário para fechar as contas com superávit de R$ 34,4 bilhões (o 0,7% do PIB previsto originalmente). Das duas uma: ou se fazia um corte gigantesco nas despesas ou se previa um aumento gigantesco na tributação – a Cide, tributo incidente sobre combustíveis, o IPI (Imposto sobre Produtos Industrializados), o IOF (Imposto sobre Operações Financeiras) e mudanças no Imposto de Renda eram alvos dos estudos do governo. Nenhum deles, sozinho, fazia cócegas no valor necessário para atingir a meta.

A recriação da CPMF não era vista com bons olhos por Levy – ele preferia um corte substantivo em programas e subsídios antes de pensar num imposto deste tamanho. Semanas antes, o debate ocorria entre Fazenda, Planejamento e Casa Civil quando a notícia da volta da CPMF foi dada pela primeira vez pela repórter do jornal *O Estado de S. Paulo* Adriana Fernandes. Ela publicou uma matéria sobre a CPMF em estudo para cobrir o orçamento, com alíquota de 0,2% (mais tarde o governo elevou a proposta para 0,38%, a mesma alíquota que vigorou no país até 2007, quando a CPMF foi suspensa pelo Congresso). O restante da imprensa publicou atrás, e uma crise barulhenta se instalou. O presidente do Senado, Renan Calheiros, disse que recriá-la seria "um tiro no pé". O presidente da Confederação Nacional da Indústria (CNI), Robson Andrade, chamou a ideia de "absurda". A Federação do Comércio de São Paulo definiu como "retrocesso".

Nos dias seguintes ao vazamento da informação, Levy precisou defender a proposta em estudo pelo governo. E enquanto apresentava, num sábado (dia 30 de agosto), argumentos em favor da CPMF num evento em Campos do Jordão (SP), a presidente Dilma Rousseff reunia os ministros Nelson Barbosa e Aloizio Mercadante para sacramentar sua decisão: o governo recuaria. Não haveria CPMF para cobrir o Orçamento. Com isso, ela esperava sensibilizar o Congresso a ajudar e evitar as chamadas pautas-bomba, capazes de gerar gastos ainda maiores. Levy foi às pressas a Brasília. A alternativa imposta àquele fim de semana era ainda mais sombria para o ministro da Fazenda: um Orçamento negativo. A oficialização de previsão de déficit em 2016, e não o superávit de 0,7% do PIB.

Levy, Mercadante e Nelson Barbosa engalfinharam-se. O ministro da Fazenda rejeitava a qualquer custo a ideia de um orçamento deficitário; Mercadante e Barbosa defendiam um orçamento realista e transparente, capaz de espelhar com mais fidelidade as dificuldades de arrecadação, o baixo crescimento e as incertezas políticas. O chefe da Casa Civil e o ministro do Planejamento também viam no orçamento deficitário a saída inevitável para a desistência de recriação da CPMF. O governo não tinha outra alternativa senão desistir da ideia do imposto depois da reação violenta de empresários, parlamentares e imprensa. O buraco coberto por um novo imposto seria ainda maior sem a CPMF e não havia espaço para mais cortes de despesas do que se previa – a presidente queria preservar programas importantes para um governo já combalido junto à população.

Ao perceber que, por inclinação de Dilma, perdia o debate dentro da chamada Junta Orçamentária (composta pelos três ministros), ele ameaçou jogar a toalha e deixar o cargo. Foi acalmado no domingo por uma conversa com o vice-presidente Michel Temer – ainda ajudando o governo na articulação política, Temer pediu paciência a Levy e recomendou-lhe uma saída para aquele imbróglio. Não havia jeito, lembrava, a alternativa era enviar o orçamento com previsão de déficit e jogar a luta para o Congresso. No debate para aprovação do Orçamento, se tentaria melhorar aquela previsão ou mesmo chegar a um número positivo. Levy aceitou.

Aceitou, mas fez cara feia na hora de entregar, na segunda-feira, a proposta orçamentária para 2016. Nelson Barbosa fez cara de serenidade, como necessário nessas ocasiões, ao entregar o documento ao presidente do Senado, Renan Calheiros. Mas Levy fez questão de mostrar um semblante de desgosto e insatisfação. "Devido ao cenário de receitas e, mesmo após o nosso esforço de contenção do crescimento de gastos tanto obrigatórios quanto discricionários, ainda assim não será possível cumprir a nossa meta anterior de resultado primário, que era de R$ 34 bilhões. Diante do novo cenário de receitas e despesas, nós teremos nossa previsão, para o próximo ano, de um déficit primário de R$ 30,5 bilhões", anunciou Barbosa, pela manhã. À tarde, por ordem da presidente e para tentar passar um clima de unidade na equipe econômica, Barbosa e Levy concederam entrevista no Palácio do Planalto. Nos bastidores, o ministro da Fazenda classificava aquele orçamento de "inercial" e "sem criatividade". Na entrevista, disse crer "firmemente na necessidade da sustentabilidade fiscal" e deixou claro seu desconforto: "Se houver ambiguidade sobre isso, fica mais difícil garantir o crescimento." Naquele fim de semana, Levy aceitou o Orçamento deficitário, mas fez suas articulações. E elas passavam pelo apoio de empresários, de um lado, e notícias calculadamente vazadas, segundo as quais sua permanência no cargo estava – mais uma vez – ameaçada.

Essa foi uma das razões pelas quais Luiz Carlos Trabuco desembarcou em Brasília naquela quarta-feira. No encontro com a presidente Dilma, o presidente do Bradesco defendeu a política econômica de Joaquim Levy. Ressaltou o que a presidente já sabia: o Brasil enfrentava um risco grande demais para deixar o ministro da Fazenda equilibrando-se entre as cordas de um Congresso refratário, de um PT oposicionista e de sinais não exatamente consensuais promovidos pelo governo. Foi uma conversa "muito colaborativa", Dilma definiria mais tarde. Naqueles dias de tensão, muita gente primeiro torcera o nariz contra a visita – a conversa chegou a ser interpretada como uma "inconveniente" intromissão de um executivo de banco em uma crise de governo. Mas uma segunda conclusão sugeriu que Trabuco era, no fundo, o portador de uma importante mensagem do sistema financeiro para a presidente da República. Nas entrelinhas, ele lhe dizia: "Se Joaquim Levy não for fortalecido no seu papel de ministro da Fazenda, os bancos tiram o apoio ao governo." (Quem conhece os meandros do poder sabe que uma frase assim jamais seria dita explicitamente a um presidente da República. O processo de convencimento nos gabinetes palacianos é infinitamente mais sutil quando se trata do principal mandatário do país, ainda mais uma personagem como Dilma Rousseff.)

Trabuco não foi o único a fazer um movimento de defesa de Levy. Naquela mesma quarta-feira, à noite, um grupo de empresários promoveu um encontro reservado com o ministro da Fazenda, em São Paulo. Eram nomes como Beto Sicupira, Carlos Jereissati, Pedro Moreira Salles, Pedro Passos, Edson Bueno e Josué Gomes da Silva. O objetivo: fazer um "chamamento à realidade" do governo e do Congresso. A agenda da reunião tinha três pontos: 1) fazer todos os esforços para que o Brasil mantivesse o grau de investimento dado por agências de classificação de risco; 2) buscar um superávit primário de 0,7% do PIB na execução do Orçamento de 2016; e 3) promover um forte corte em subsídios e programas governamentais para atingir aquela meta. Eram pontos que atendiam plenamente à cruzada promovida por Levy: permitir condições de evitar o rebaixamento, buscar equilíbrio das contas públicas e reduzir despesas que o ministro considerava incompatíveis com a política de obtenção de superávits.

Da reunião, enviou-se um recado à presidente Dilma, por meio de um dos empresários. Informada sobre a reunião e os temas em discussão, a mensagem essencial era de que eles estavam preocupados com a proposta de Orçamento para 2016 contendo um déficit de 0,5% do PIB. Os empresários achavam ser vital para o país perseguir e obter a meta de superávit de 0,7% em 2016. Era evidente o apoio à posição de Joaquim Levy. O ministro da Fazenda sabia que precisava não só ter o apoio de gente de peso (como sempre teve até ali), mas também mostrar ao restante do governo os riscos daquela decisão. O principal deles, que acabou se confirmando, seria a perda do grau de investimento. Era o argumento central dos empresários reunidos em torno dele naquela noite em São Paulo. E foi o argumento central transmitido à presidente: os empresários, como Levy, avaliavam que um possível rebaixamento do Brasil teria efeitos catastróficos para o país. Haveria aumento do custo para captar empréstimos. A recessão se aprofundaria. O desemprego se elevaria ainda mais. O ambiente político retroalimentaria a crise, e o país poderia então entrar em território desconhecido, com risco de esgarçamento das instituições. Subjacente a esses sinais, havia também a mensagem da incerteza: o ambiente fluido estava incorporado ao risco do mesmo modo que não se sabia, já naquele momento, se a presidente Dilma completaria seu mandato. O impeachment era um espectro que rondava a presidente. A seriedade e a dramaticidade deram o tom da conversa.

Levy nunca chegou a confirmar o encontro, muito menos os termos tratados. Alguns empresários vazaram parte do conteúdo e do propósito da reunião. Segundo as versões que acabaram publicadas na imprensa, Levy teria mostrado a dificuldade de conseguir o superávit de 0,7% apenas cortando gastos – afinal, havia muitas resistências do governo em eliminar programas e subsídios. O ministro teria perguntado aos presentes: como cortar o Orçamento se existe uma infinidade de despesas obrigatórias e muita pressão de setores do governo para manter certos programas sociais? Os empresários reagiram de maneira difusa à sugestão de criar algum tipo de imposto. Alguns admitiram ser possível uma nova taxa, desde que temporária. Outros foram mais resistentes. "Temporário no Brasil quase sempre vira permanente", disse um dos presentes, segundo o relato de Fernando Rodrigues.

No final, todos cobraram primeiro os cortes mais duros antes que os impostos fossem criados. Uma das máximas que vigoram em Brasília remete a uma frase célebre do primeiro-ministro britânico Winston Churchill sobre "fazer a coisa certa depois de se esgotarem todas as demais alternativas". Às vezes, a lista de "alternativas" em Brasília é muito longa, dificultando o percurso. Mas naquele momento não era só o governo o responsável – o Congresso enchera a agenda de pautas-bomba que ampliavam o leque de ameaças ao Orçamento do ano seguinte. De todo modo, os empresários tinham uma expectativa de que o governo montaria, num prazo de três a quatro semanas, um pacote de medidas destinado a atingir aqueles três objetivos, numa corrida contra o tempo para evitar a perda do grau de investimento ainda em 2015 ou no início do ano seguinte.

Para o governo, não restava outra opção a não ser acatar as recomendações dos empresários – de Trabuco aos nomes reunidos em São Paulo com Levy. Aquele apoio, mesmo condicionado, significava a chance de recuperar alguma estabilidade no médio prazo. Naquela mesma quarta-feira, durante o dia, o ministro havia reclamado de isolamento para a presidente. A Vice-Presidência também ajudou a alimentar o clima de instabilidade. Assessores de Michel Temer deixaram vazar a informação de que o ministro da Fazenda procurara o vice-presidente, dizendo estar preocupado com a situação econômica do país e reclamando da falta de respaldo da presidente. "Levy só não deixou o cargo porque 'tem senso de responsabilidade'", foi uma das frases surgidas na imprensa, com fonte em *off* ligada a Temer.

No mesmo dia, a presidente, como era praxe nesses momentos, aproveitou o encerramento de uma cerimônia no Palácio do Planalto para falar com os jornalistas. Passou o recado: "Isolado de mim ele não está", disse. "Levy não está desgastado dentro do governo. Ele participou conosco de todas as etapas da construção desse Orçamento e tem o respeito de todos nós." E afirmou categoricamente que, a despeito da proposta de orçamento deficitário enviada ao Congresso, trabalharia pelo superávit primário em 2016. Não disse qual. Naquele dia, ela admitiria a Levy, por telefone, que não mencionou o percentual porque se esqueceu do que estava, de fato, valendo. Entre tantas idas e vindas em torno da meta fiscal do ano seguinte, preferiu omitir o número a falar bobagem.

Mas o dia seguinte ainda teria um novo e ruidoso capítulo de especulações: Lula viajaria para Brasília e jantaria com a presidente. Eles avaliariam os últimos capítulos das crises econômica e política – discutiriam Joaquim Levy, Orçamento, CPMF, as difíceis relações com o PMDB e a instabilidade constatada no Congresso. Conforme sempre fazia diante de reuniões como esta, o mercado operou como nunca naquele dia. Amanheceu apostando na saída de Levy. Abriu o dia tenso, com a bolsa em queda e o dólar acima da marca de R$ 3,80 pela manhã, em reação às indicações do ministro de que poderia deixar o cargo.

O sinal amarelo acendeu no Palácio do Planalto. A presidente convocou os ministros que compõem a Junta Orçamentária – Aloizio Mercadante, Joaquim Levy e Nelson Barbosa. Do encontro sem aviso prévio, saiu-se com a ideia de enviar um adendo à proposta de Orçamento. O governo iria buscar outras fontes de receita para atingir o superávit primário em 2016, e não o déficit que havia admitido na proposta enviada ao Congresso. Outra ordem: era preciso unidade de discurso – em favor do ministro da Fazenda.

A reação foi aquela possível depois de todo o estrago de lado a lado: dar declarações de apoio. "Levy fica. A reunião foi muito boa", disse Aloizio

Mercadante. Afirmou ainda que os rumores de demissão de Levy eram coisa de gente mal-intencionada e mal-informada. "Quem apostar na saída de Levy vai perder", emendou. O ministro da Secretaria de Comunicação Social, Edinho Silva, fez o mesmo. "Levy fica, ele é importante para o governo. Fica porque sempre esteve forte." Enquanto isso, no Ministério da Fazenda se espalhava a informação de bastidor de que o ministro não dera qualquer ultimato à presidente num prazo definido, mas ficara satisfeito com os resultados das últimas conversas dentro e fora do governo, para o Palácio do Planalto o recado parecia assimilado.

Era um roteiro previsível, repetitivo até, que para muitos desabonava o próprio ministro defendido. Nas regras do governo, vale a máxima do futebol: quando o presidente de um clube informa à imprensa que o técnico está prestigiado, é porque ele já caiu e não sabe.

Capítulo 10

UMA REFORMA PARA SALVAR O GOVERNO

Era hora de a política entrar em campo. O país assistira à sucessão de derrotas do governo: um rebaixamento pela Standard & Poor's devido, em grande parte, aos recuos na agenda de votações do ajuste fiscal; as chamadas pautas-bomba, incluídas no Congresso pelo presidente da Câmara, Eduardo Cunha, e seus aliados, que previam ampliação ainda maior dos gastos públicos, e os entraves no diálogo com os partidos da base de apoio ao governo, sobretudo o PMDB. Na grita habitual que fazia – e faz – parte do jogo de articulações entre Executivo e Legislativo, não eram poucos os aliados a se queixar da falta de espaço no governo. E por falta de espaço, leiam-se: cargos, verbas e poder decisório.

As queixas miravam dois alvos especialmente complicados para a presidente Dilma, por ocuparem postos-chave no governo. De um lado, o ministro da Fazenda, Joaquim Levy, pelo seu costumeiro veto a qualquer medida que significasse aumento de gastos; de outro, o ministro-chefe da Casa Civil, Aloizio Mercadante, responsável tanto pela operação da máquina do governo quanto pelas negociações políticas. No início do seu segundo mandato, Dilma se encantou com um conselho de Mercadante: era preciso criar um novo bloco de apoio no Congresso. Encomendou a dois ministros – Gilberto Kassab (Cidades) e Cid Gomes (Educação) – a costura de uma nova maioria congressual que não fosse tão dependente do PMDB. E instigou o deputado Arlindo Chinaglia, do PT de São Paulo, a disputar o comando da Câmara com o peemedebista Eduardo Cunha. Deu no que deu.

Entre agosto e setembro de 2015, quando se tomou a decisão de promover uma reforma ministerial para refazer a base de apoio no Congresso, havia dois riscos enormes para o governo diante daquela instabilidade: primeiro, o governo não conseguia governar (e o temor do Palácio era continuar assim, vendo despencar ainda mais a credibilidade e a popularidade da presidente). Segundo, do jeito que a coisa andava frágil, crescia cada vez mais o risco de o governo perder o debate sobre o impeachment. Afinal, estava claro que a principal batalha estaria no Congresso e envolvia dois pesos pesados do PMDB: no Senado, o aliado do governo, Renan Calheiros; na Câmara, o inimigo Eduardo Cunha, muito próximo ao vice-presidente Michel Temer.

O histórico dos articuladores do governo não era nada animador, especialmente nas relações com o PMDB, partido pelo qual a presidente nunca demonstrou nenhuma admiração mínima para mantê-lo por perto. Desde o início da aliança com os petistas, ainda no governo Lula, muitos peemedebistas reclamavam por ficar de fora das grandes decisões – apesar de, quantitativamente, o partido ocupar o posto de aliado número 1 do PT. Michel Temer, escolhido para ser o vice-presidente e liderar o lado peemedebista da aliança, pode ter sido um fator de governabilidade nos anos em que a aliança durou, mas a presidente jamais foi de ouvi-lo o suficiente na intimidade do poder.

Em abril de 2015, precisou recorrer a préstimos do vice. Com a sucessão de reveses dos primeiros três meses, agravados com a eleição de Eduardo Cunha para a presidência da Câmara, Temer foi chamado a assumir a articulação política. Deixou o posto depois de quatro meses e algumas sérias polêmicas, que sinalizaram para a presidente e seus aliados a movimentação do vice--presidente contra ela – na linguagem dos gabinetes do Palácio do Planalto: conspiração. Primeiro o discurso, já mencionado, pregando a necessidade de "alguém" ter a capacidade de reunificar todos, sob pena de "entrar numa crise desagradável para o país". Todos interpretaram que este alguém era ele. A segunda grande polêmica foi quando, no início de setembro, num encontro reservado com empresários de São Paulo, Temer afirmou que seria difícil Dilma Rousseff chegar até o fim do mandato se permanecesse com índices tão baixos de popularidade. "Ninguém vai resistir três anos e meio com esse índice baixo. (...) Se continuar assim, eu vou dizer a você, 7%, 8% de popularidade, de fato, fica difícil." O sinal vermelho piscou no gabinete da presidente, Temer deixou a articulação política, e as relações com o PMDB ficaram ainda mais frágeis.

Era a hora de a política entrar em campo, então que se chamasse um profissional do ramo. O melhor de que Dilma poderia dispor: o ex-presidente

Lula. Ele punha o dedo em riste em duas direções. Reclamava dia sim, outro também do que considerava erros de condução na economia e na política. Na economia, pelo fato de o governo não conseguir emplacar nenhuma agenda e nenhum discurso que fosse além do ajuste fiscal. Na política, os entraves criados com o PMDB e o vice-presidente Michel Temer. Lula sabia o que dizia. Em 2005, quando estourou o escândalo do mensalão e o fantasma do impeachment rondava seu mandato, coube ao PMDB o papel de fiador da governabilidade, da estabilidade e do fim da crise política. Naquele momento, pelo papel que ocupava no partido, foi o ex-presidente José Sarney o maior responsável – ele e Renan Calheiros ganharam espaço no governo Lula, o presidente superou os problemas da época e acabou reeleito no ano seguinte.

Não havia jeito, era preciso que a presidente Dilma Rousseff abrisse maior espaço para o PMDB em seu governo. Mais: o debate sobre a recriação da CPMF para fechar o buraco no Orçamento fizera crescer a pressão da opinião pública para que o governo promovesse um enxugamento na máquina. Se não havia dinheiro e o governo pedia ao país ajuda para pagar a conta, que fizesse a sua parte – era esta a linha de raciocínio da pressão encampada por empresários e pela imprensa. Assim, a reforma ministerial precisaria servir, de um lado, para abrigar mais peemedebistas na Esplanada dos Ministérios e, de outro, garantir maior "eficiência" na gestão.

Uma balela. Cortes de ministérios soariam bem para a opinião pública, mas na prática seriam pouco úteis para garantir economia de despesas no tamanho compatível das necessidades do Orçamento da União. Num orçamento de quase R$ 1 trilhão, cortar metade dos ministérios e as respectivas despesas de pessoal e custeio da máquina não atingiria sequer R$ 1 bilhão. Em agosto de 2015, a presidente Dilma e o ministro do Planejamento, Nelson Barbosa, anunciaram que fariam um enxugamento no número de ministérios. A execução do que foi anunciado, no entanto, só se daria a partir da reforma ministerial, consolidada na primeira semana de outubro: dez ministérios cortados. A economia? R$ 200 milhões. A racionalização da máquina pública, como definiu Barbosa ao fazer o anúncio, envolveria redução de secretarias, integração de órgãos públicos e cortes no número de cargos comissionados.

Era uma equação que a comunicação do governo também precisava resolver: a reforma ministerial era também uma reforma administrativa. A condução da mensagem precisaria deixar evidente a preocupação não só com a melhor distribuição dos espaços do governo entre os aliados e, consequentemente, um maior compromisso nas votações de interesse do Executivo no Congresso. A mensagem precisaria sublinhar o papel dos ganhos de eficiência, racionalidade e gestão. Não era mesmo uma equação fácil.

Recém-chegado ao Palácio do Planalto e ainda tateando no relacionamento e na cabeça de Dilma Rousseff, anotei para ela e para o ministro da Secretaria de Comunicação Social, Edinho Silva: a imprensa estava ansiosa para interpretar que a) o governo se curvava ao PMDB, virando seu refém; b) o governo estava entregando a alma, sem ter qualquer garantia em troca nas votações do Congresso; c) o governo mais uma vez fatiava cargos em troca de apoio e de sobrevida.

A articulação com o PMDB havia tomado tal dimensão que a face administrativa da reforma, com economia e eficiência, perdera relevância. E não dava para se iludir e achar que a imprensa compraria qualquer discurso focado nesses eixos. Apesar disso, a ideia do "cortar na carne" era algo forte e desejável por todos. Portanto, cooperação, parceria, eficiência, economia e novo arranjo institucional eram palavras-chave, mas também não se poderia dourar a pílula: era preciso valorizar a aliança estratégica mais importante para o governo naquele momento. O PMDB precisava de afago público.

Em outras palavras, a reforma ministerial traria uma desejada economia de gastos e ampliaria a eficiência e a boa gestão dos recursos públicos (nada disso era significativo na prática, mas assim a imprensa e os empresários iriam gostar de ouvir), e também asseguraria a estabilidade política do Brasil, graças à reorganização de forças que compõem a coalizão do governo. A imprensa, sabíamos, daria maior peso imediato à segunda parte da mensagem. Mas a primeira poderia ser trabalhada nos dias seguintes pelo governo, tanto na mídia tradicional quanto nas redes sociais. De novo: o "cortar na carne" era tão sedutor quanto a ideia de um Estado mais ágil e um governo mais eficiente. As pesquisas internas obtidas pela Secretaria de Comunicação Social da Presidência confirmavam a tese: a avaliação da presidente subiu depois do anúncio dos cortes e, mais ainda, quando anunciou a redução dos salários dos ministros, do vice-presidente e dela própria. Na política, a simbologia quase sempre ganha mais do que os números.

A presidente fez o anúncio em breve discurso ao lado de Michel Temer, na manhã de sexta-feira, 2 de outubro, nove meses depois de iniciar o segundo mandato. "[Tivemos o propósito de] atualizar a base política do governo buscando uma maioria que amplie nossa governabilidade", disse Dilma. "Ao alterar alguns dos dirigentes dos ministérios, nós estamos tornando nossa coalizão de governo mais equilibrada, fortalecendo as relações com os partidos e com os parlamentares que nos dão sustentação política. Trata-se de uma ação legítima, de um governo de coalizão e, por isso, tudo tem sido feito às claras. Trata-se de articulação política para construir um ambiente de diálogo, um ambiente de coesão parlamentar. Trata-se de articulação política que respeita os partidos que fizeram parte da coalizão que me elegeu e que tem direito e dever de governar comigo." Ela não dourou a pílula.

Dilma afirmou ainda que buscava construir um Estado "ágil", mais baseado na meritocracia: "Todos os países, todas as nações que atingiram desenvolvimento construíram Estados modernos. Esses Estados modernos eram ágeis, eficientes, baseados no profissionalismo, na meritocracia e extremamente adequados ao processo de desenvolvimento que cada país estava trilhando. Nós também temos de ter esse objetivo." Disse mais: "Meu governo busca apoio do Congresso e a reforma faz parte também desse contexto", ressaltando as mudanças como parte de uma estratégia para aprovar no Congresso as medidas propostas para equilibrar o Orçamento do ano seguinte e recuperar a economia. "Não estamos parados. Sabemos que existem dificuldades econômicas que devem ser superadas. Sabemos que, se erramos, precisamos consertar os erros. Se acertamos, precisamos avançar nos acertos e seguir em frente."

A presidente anunciava ali uma reforma que cortava oito pastas, e não dez, como havia mencionado anteriormente. Reduzia assim de 39 para 31 ministérios e secretarias com status de ministério. Reclamações do PT e do PMDB a impediram de atingir sua meta. Esse não era o único problema a enfrentar: entre os novos ministros, havia polêmica. Celso Pansera, o novo ministro da Ciência & Tecnologia, e Marcelo Castro, o novo ministro da Saúde, eram nomes ligados a Eduardo Cunha. Pansera ficou conhecido ao ser apontado pelo doleiro Alberto Youssef como "pau-mandado" de Cunha. A acusação era de que ele teria trabalhado para intimidar Youssef, uma das principais testemunhas da Operação Lava Jato. Até o último momento, a presidente tentava mudar a indicação do PMDB ou realocá-la para uma pasta menos expressiva. (Ironicamente, Pansera e Castro se tornariam dois dos mais fiéis aliados da presidente durante o processo de impeachment. Enfrentaram o PMDB oposicionista e defenderam Dilma até o fim.)

As manchetes saíram de maneira previsível: "Reforma de Dilma fortalece PMDB e ex-presidente Lula", escreveu a *Folha de S.Paulo* em sua primeira página do dia seguinte. "Ela passou a faixa", disse a revista *Veja* na capa. Na síntese da revista, "Dilma entrega o núcleo do governo a Lula, os grandes ministérios ao PMDB e se enfraquece ainda mais". Para parte da imprensa, este parecia ser o pior dos mundos: um ex-presidente Lula voltando a ter forças no governo. Referiam-se aos novos ministros do PMDB (que, mesmo com a redução do número de pastas, viu aumentar sua participação no governo de seis para sete ministérios). Também relacionavam a chegada ao Palácio do Planalto, para trabalhar ao lado da presidente, dois nomes bastante ligados a Lula: o baiano Jaques Wagner, que assumia a Casa Civil no lugar de Aloizio Mercadante (que iria para a Educação), e o paulista Ricardo Berzoini, que passava a ocupar a Secretaria de Governo no lugar do também petista Miguel Rossetto (que iria para Trabalho & Previdência, duas pastas que se fundiam em uma). Nos bastidores, a presidente preferia ter deixado o então ministro da Previdência, Carlos Gabas, mas precisou acomodar a tendência interna do PT conhecida como DS (Democracia Socialista), da ala mais à esquerda do partido. Ninguém jamais disse que governar era fácil.

Mesmo um colunista com olhar habitualmente mais favorável ao governo Dilma – e sobretudo contrário ao processo de impeachment da presidente – enxergou de maneira crítica aquela reforma. Foi o caso de Janio de Freitas, da *Folha de S.Paulo*. No artigo "Quanto pior", publicado no domingo seguinte ao anúncio, ele escreveu:

"Os retalhos que vêm formar um pretenso ministério não têm o mínimo de ideia e de substância. (...) o governante, por melhores que sejam seus propósitos, é forçado a aceitar o jogo, ou não governará. Substituída a política pela grande teia de interesses, ao governante não restam meios operacionais fora dessa cadeia – é a convicção estabelecida." Era uma avaliação crítica, mas Dilma não refutaria as conclusões de Janio, a quem ela sempre admirou. Ao contrário, este foi sempre seu nó górdio na política: a dificuldade em lidar com essas teias de interesses, embora lhe faltasse, como afirmaria Janio, "determinação para exigir outras relações com políticos e partidos".

Mas as notícias publicadas sobre a reforma revelariam um equívoco recorrente em relação à presença dos chamados ministros lulistas: Jaques Wagner e Ricardo Berzoini ocupariam seus gabinetes no quarto andar do Palácio do Planalto, e se somariam a Edinho Silva, que no segundo andar preenchia também a fama de ser um lulista no Palácio. O equívoco de boa parte da imprensa: enxergá-los como olheiros do ex-presidente, como se fossem alheios à vontade da presidente. Não eram. É verdade que a solução aceita por Dilma para a reforma promoveu o seu reencontro com Lula – até ali mais distante do que deveria. Também é verdade que coube a Lula o incentivo absoluto ao atendimento de velho desejo do PMDB de ver Aloizio Mercadante longe da Casa Civil. Mas também é verdade que Dilma adorava e admirava Jaques Wagner.

No período mais turbulento e descendente de seu governo, Jaques esteve sempre entre os mais próximos e aqueles com, digamos, maior taxa de aprovação de conselhos junto à presidente. Poucos sabem, mas Dilma já desejava tê-lo nas proximidades havia algum tempo. Pensou até em dar-lhe uma sala na Presidência quando ele era ministro da Defesa. Não colou. Agora, na Casa Civil, o teria por perto hora a hora. Jeitoso no trato com a imprensa, boa-praça com os colegas de trabalho e bom articulador com os partidos aliados e até mesmo com os adversários, Jaques era a antítese do antecessor, Aloizio Mercadante. Um dia, alertado de que precisaria ser duro à frente da Casa Civil e dizer muitos "nãos" – práticas, portanto, que o distanciariam da fama conquistada, ele retrucou: "Posso lhe garantir que meu 'não' é muito mais gostoso do que o do Aloizio." Em outro dia, depois de receber um elogio pela firmeza com que rebatera declarações do deputado Eduardo Cunha, ele garantiu: "Eu disse à presidente: 'Não me ponha na Casa Civil. Serei muito mais eficiente se eu for seu porta-voz.'"

A conclusão da maioria dos jornais, TVs, rádios e sites era de que a composição do novo ministério não só ampliava o poder do PMDB e de Lula como também era uma estratégia para assegurar o apoio de sua base no Congresso e "os votos necessários para barrar um processo de impeachment". Não havia como negar as intenções múltiplas com aquelas mudanças anunciadas em outubro. Para complicar, a reforma deixava claro o tamanho da coalizão que sustentava a presidente: PT, PMDB, PTB, PR, PSD, PDT, PCdoB, PRB e PP. Nove partidos. Mais tarde, se ouviriam inúmeras vezes da presidente o mea-culpa: teria sido melhor e mais eficiente ter uma base de apoio com menos siglas, porém mais consistente, do que uma tão grande e tão frágil. Era uma máxima já apresentada por alguns cientistas políticos, pois ter muitos partidos a seu lado significa muito mais trabalho nas negociações, grande margem para erros políticos e maior probabilidade de traições. A começar pelo PMDB, um partido historicamente dividido.

Foi sintomático que, na mesma edição em que *Veja* pregava "Ela passou a faixa" e que Lula intervinha na gestão da sucessora para manter vivas as chances de disputar a Presidência em 2018 e afastar o risco de ser preso, o senador Romero Jucá, um dos principais aliados de Temer, aparecia nas páginas amarelas da revista defendendo o rompimento do seu partido com o governo. (Jucá viria a ser anunciado como ministro do Planejamento de Temer, até ser alvejado por uma delação que o citava diretamente na Lava Jato e ver exposta a trama interna do PMDB contra Dilma Rousseff.) "O PMDB tem de ser a solução", dizia Jucá na entrevista, afirmando que a sigla era a única capaz de protagonizar a transição em caso de impeachment e já traçando cenários para um Brasil pós-Dilma.

Nunca foi fácil conviver com o PMDB. Desde a redemocratização do Brasil, na década de 1980, sempre que um presidente achou que poderia engolir o PMDB foi triturado. É outra máxima em Brasília, que poucos admitem em público: quando joga a favor, o PMDB garante estabilidade no Congresso para o governo de ocasião; quando está contra, transforma-se numa poderosa e letal força desestabilizadora. O ex-presidente Lula havia tentado pacificar o PMDB no início do segundo mandato. O então ministro-chefe da Casa Civil, Aloizio Mercadante, dinamitou a estratégia. Dilma ainda fez uma tentativa quando Temer assumiu a coordenação política, em abril de 2015, mas se esqueceu de retirar Mercadante do caminho do então vice-presidente (havia gente que garantia que ela não se esqueceu; apenas se lembrou de mantê-lo como estorvo para Temer). Naquela reforma de outubro, Dilma admitia que não podia governar sem a maioria do PMDB.

O primeiro teste da nova composição ministerial e também dos novos articuladores do Palácio, Jaques Wagner e Ricardo Berzoini, viria nos primeiros dias úteis após o anúncio da reforma. Enquanto a presidente empossava os novos ministros, assistia, surpresa, inquieta e raivosa, aos adiamentos das sessões do Congresso que votariam os chamados vetos presidenciais: a presidente barrara as "pautas-bomba" de Eduardo Cunha e da oposição – pautas como um reajuste de 70% para os servidores do Poder Judiciário, com impacto de mais de R$ 36 bilhões até 2019. Mesmo com a reforma, por duas vezes em uma mesma semana o governo não obteve quórum suficiente no Congresso para votar os vetos. É uma prática comum em qualquer parlamento, seja no Brasil, seja nos Estados Unidos, nosso ideal costumeiro de democracia: quando querem causar problemas ao governo, uma das estratégias dos partidos é retirar seus parlamentares do plenário. É um jeito de não colocar em votação algo de interesse do Executivo, até que novos arranjos sejam feitos. Aquela era uma ação direta de Eduardo Cunha e da parcela do PMDB que não havia gostado da estratégia do Planalto de dividir o partido, acrescida do bloco dos insatisfeitos: PP, PTB, PR, PSD, PROS, PSC e PHC queriam ser agraciados com cargos, não foram atendidos como desejavam e se rebelaram.

Os testes se sucederiam semana a semana, até o fim do governo.

Capítulo 11

NA LAMA

Como no tempo de Ramsés II, o Faraó egípcio que reinou entre 1279 a.C. e 1213 a.C., o Brasil de Dilma Rousseff também enfrentou suas tormentas naturais. Não exatamente maldições, tsunamis, tempestades ou nuvens de gafanhotos, mas um desastre ambiental de proporção histórica e inédita, provocada por uma barragem de gestão privada e concessão pública. Foi algo do qual o governo Dilma não teve culpa, mas, seguindo a prática habitual dos brasileiros, não há mal que não se possa debitar na conta do governo federal. Assim se deu com a tragédia de Mariana, em Minas Gerais, o maior desastre ambiental da história do Brasil e o mais grave acidente da história da mineração mundial.

No dia 5 de novembro de 2015, uma quinta-feira, uma gigantesca barragem de rejeito de minério de ferro, conhecida como Fundão e pertencente à empresa Samarco, rompeu inteira sobre o pequeno povoado de Bento Rodrigues, distrito de Mariana. Eram 15h30 quando a barragem se desmanchou, vazando uma mistura de lama e metais em volumes apavorantes. Dezenove pessoas morreram na primeira hora. Nos dias seguintes, outras centenas de milhares de pessoas tiveram suas vidas afetadas – era quem vivia ao longo dos 650 quilômetros percorridos pela lama. Da barragem, em Bento Rodrigues, não exatamente uma água, mas um gel, de cor marrom-alaranjada extremamente espesso e capaz de aniquilar vidas, seguiu o fluxo do rio Doce até o oceano, na costa do Espírito Santo. Passou por Paracatu de Baixo, Gesteira, Governador Valadares, Resplendor, Colatina, Linhares e Regência – as três últimas, cidades capixabas.

A notícia do rompimento da barragem chegou primeiro à Secretaria de Meio Ambiente e Desenvolvimento Sustentável de Minas Gerais, por volta das 17 horas, no mesmo momento em que bombeiros desceram de helicóptero no local, vindos de Belo Horizonte e Ouro Preto. Homens da Defesa Civil haviam desembarcado de carro pouco antes, mas nada puderam fazer: a estrada para Bento Rodrigues estava bloqueada, coberta por toneladas de lama. Como definiria mais tarde a repórter Consuelo Dieguez, numa reportagem memorável na revista *Piauí*, aqueles homens viram a vila completamente encoberta pela lava de minério, "como uma Pompeia moderna". Eles tinham a certeza de que todos os moradores da vila estavam mortos quando viram um bombeiro, pendurado na corda presa ao helicóptero, descer e resgatar uma mulher no meio da lama, ainda com vida.

A presidente soube da tragédia por meio de um telefonema do ministro-chefe da Casa Civil, Jaques Wagner, quando estava no avião presidencial. Voltava para Brasília vinda de Alagoas, onde ela e o ministro da Integração Nacional, Gilberto Occhi, inauguraram o Canal do Sertão, que levou as águas do rio São Francisco para alguns municípios alagoanos. Foi evidentemente um choque, ainda que não se soubesse, naquele momento, tratar-se de uma tragédia de proporções aterrorizantes. Ninguém àquela altura sabia a real dimensão das consequências – e nem teria nas horas seguintes, como se viu nas primeiras páginas de sexta-feira, quando os jornais estamparam fotos de destaque, mas nenhum pôs o tema como principal manchete do dia. Imediatamente após receber a notícia da Casa Civil, ela entrou em contato com a ministra do Meio Ambiente, Izabella Teixeira, para tentar obter mais informações. Paralelamente, a assessoria do ministro da Integração Nacional lhe enviava uma consulta do *Jornal Nacional*: queria saber se ele iria ao local do desastre no dia seguinte. Occhi disse que sim. Desembarcados em Brasília no meio da noite, as horas restantes foram ocupadas a conseguir mais detalhes do que ocorrera em Mariana.

No dia seguinte, no *briefing* matinal, a presidente recebeu a sugestão para que acompanhasse "pessoalmente" a busca, mostrando ao Brasil e ao mundo seu envolvimento, liderança e solidariedade. Pelo menos dois ministros deram a mesma recomendação. Seria um dia dedicado aos resgates, com busca de notícias e histórias dolorosas de familiares em busca dos desaparecidos. Tratava-se de um tema de repercussão nacional e internacional, e o Brasil inteiro estaria observando os desdobramentos. Em momentos como este, é dever de ofício pensar não apenas nas vítimas, com sensibilidade. Infelizmente é também o momento de racionalidade, reconhecendo que qualquer passo errado pode significar uma outra tragédia: uma crise de comunicação e de imagem para o seu chefe, seja ele um presidente da República, um governador, um prefeito ou um gestor de empresas. É quando, preocupados com a repercussão de uma tragédia sobre a credibilidade do governante, parecemos seres insensíveis à dor humana. A história está repleta de exemplos de sucesso e insucesso de políticos devido a essa escolha. Nos Estados Unidos, dez anos antes, o presidente George W. Bush esperou dois dias para sobrevoar Nova Orleans depois de o furacão Katrina devastar 80% da cidade. Aquele atraso e a demora na ajuda do governo federal contribuíram para derrubar sua popularidade, e o episódio entrou para a galeria de desgastes do presidente, juntamente com a invasão ao Iraque, a divulgação de fotos de iraquianos torturados por soldados norte-americanos e a crise econômica.

Os jornais haviam estampado fotos com cenas da tragédia e descrito o rápido envolvimento do governo, incluindo as forças de segurança nacional colocadas à disposição do governador de Minas, Fernando Pimentel, para ajudar nos resgates. Jaques Wagner e Gilberto Occhi eram também citados nas matérias daquele dia, o que revelava agilidade, eficiência e cooperação do governo federal com o governo estadual e as prefeituras dos municípios atingidos. Era o momento de a presidente entrar em cena, não só na articulação e no comando das ações (como fizera desde o primeiro momento), como também mostrando envolvimento, liderança e solidariedade.

Dilma, porém, não disse sim nem não, o que nos seus códigos particulares de atuação significava dizer que não atenderia à sugestão. Não naquele momento. Não era a primeira vez, nem seria a última, que ela adiaria um movimento como o que lhe era sugerido. Não por insensibilidade, mas pelo seu pavor de parecer oportunista com a tragédia, ou de promover qualquer gesto que soasse como essencialmente midiático, e não movido pelo genuíno interesse em resolver o problema das vítimas. Era uma lição de Gilles Azevedo, o assessor especial que a conhecia como ninguém: ela trabalhava para dentro; não queria holofotes, e sim resultado.

Naquele mesmo mês, Dilma foi a Paris para a COP-21, a conferência do clima das Nações Unidas. O Itamaraty e, em particular, o diplomata Carlos Villanova, que dirigia a área internacional da Secretaria de Imprensa da Presidência e ocupava informalmente o posto de porta-voz, sugeriram-lhe visitar o entorno da casa de shows Bataclan. Dias antes, em 13 de novembro, 89 pessoas haviam morrido ali num atentado terrorista. Mas ela rechaçou a ideia: soaria falso, oportunista, populista – gesto político em excesso, o que não combinava com a presidente. Dilma acabaria não indo mesmo à Bataclan, mas viu o presidente Barack Obama desembarcar em Paris e imediatamente seguir para o local a fim de prestar uma homenagem às vítimas do atentado. Nada disse. Já era madrugada quando, ao lado do presidente francês François Hollande, e da prefeita de Paris, Anne Hidalgo, deixou flores, fez um minuto de silêncio e se deixou fotografar. Os franceses se sentiram apoiados, e as fotos de Obama ocuparam todas as mídias.

No caso de Mariana, Dilma preferiu ficar no Palácio do Planalto cobrando providências. Era uma preocupação legítima, mas que lhe custaria caro: ela foi duramente criticada pela imprensa por não ir imediatamente à região afetada. Deu-se uma soma de equívocos por todos os lados. A Samarco, empresa dona da barragem, tinha como controladores duas das maiores mineradoras do mundo – a brasileira Vale e a anglo-australiana BHP Billiton. O presidente da Vale, Murilo Ferreira, sobrevoou o vale do rio Doce, que deu o nome à mineradora, no sábado, dia 7, 48 horas depois do acidente. Apesar dos apelos de sua assessoria para que desse alguma satisfação à sociedade, manteve-se em silêncio. "É hora de trabalhar para ajudar as vítimas, e não de falar", disse. Na Austrália, a pressão de grupos ambientalistas forçou o presidente da BHP, Andrew Mackenzie, a se manifestar. Uma de suas maiores preocupações era evitar que o acidente arranhasse a imagem da empresa.

E os erros dos grandes nomes envolvidos se sucederam. No domingo, dia 8, o governador Fernando Pimentel convocou uma entrevista. Escolheu a sede da Samarco para falar com os jornalistas e afirmou que tanto o governo do Estado quanto a empresa estavam fazendo "todo o possível" para reduzir os danos causados pelo desastre. Recusando-se a jogar pesado contra a Samarco, argumentou que não poderia apontar culpados sem uma perícia técnica mais apurada. Foi criticado e acusado de ser conivente com a Samarco. Na quarta-feira, dia 11, seis dias após o rompimento da barragem, os presidentes da Vale e da BHP e o presidente da Samarco, Ricardo Vescovi de Aragão, convocaram uma entrevista coletiva na sede da Samarco. Com ar assustado, Vescovi tocou os dois controladores nos ombros – era como se dissesse: estamos juntos no problema. Murilo Ferreira e Andrew Mackenzie reagiram com desconforto. O presidente da Samarco ainda fez sua apresentação sem pedir desculpas, como muitos esperavam. Apenas agradeceu a solidariedade que a empresa estava recebendo da sociedade e encerrou prometendo fazer o possível para resolver rapidamente os problemas humanos e ambientais decorrentes do acidente. Ferreira e Mackenzie também não se desculparam.

Dilma Rousseff só visitou a região na quinta-feira, dia 12, e toda a imprensa tratou de ressaltar a data: uma semana depois da tragédia. A primeira tentativa de federalizar o acidente em Minas deu-se já no domingo anterior, três dias após o acidente. Foi quando os jornais publicaram a análise sobre "alto risco" presente em 24 barragens do país, entre 14.966 catalogadas. A análise foi da Agência Nacional de Águas (ANA) e do Departamento Nacional de Produção Mineral. A barragem de Mariana era considerada de baixo risco. O sinal amarelo piscou no Palácio e se passou a temer ali qualquer tentativa de vínculo indevido – nessas horas é prática recorrente, e compreensível, da imprensa ensaiar culpados. No dia seguinte à tragédia, já se publicavam reportagens mostrando que Minas tinha 42 barragens sem estabilidade garantida, segundo relatório da Fundação Estadual do Meio Ambiente, e que licenças foram dadas sem o aval do governo mineiro.

Como não havia ido imediatamente, escolheu-se uma data em que a visita da presidente faria sentido. Assim foi feito: naquela quinta-feira, Dilma anunciaria multas que, somadas, resultavam em R$ 250 milhões impostos à Samarco pela destruição ambiental. Conforme ela explicou em entrevista coletiva, após reunião de emergência com os prefeitos das cidades atingidas, aplicou-se o teto de todas as multas possíveis. Jornalistas ressaltariam pelo menos duas falhas no discurso da presidente: o lapso de chamar a empresa de "São Marcos" e a afirmação de que o rio Doce seria recuperado e ficaria "muito melhor do que era".

Não era uma declaração despropositada, coisa de quem supostamente desconhece a gravidade da situação. Nos últimos dias, Dilma mergulhara fundo naquele assunto e sabia que a recuperação seria longa, complexa e difícil, mas possível. O fotógrafo Sebastião Salgado – mineiro de Aimorés, cidade afetada pelo acidente e desde o fim dos anos 1990 responsável pelo Instituto Terra, uma ONG que toca projetos de recuperação do rio Doce – levaria à presidente, num encontro reservado no Palácio da Alvorada, uma proposta concreta: a criação de um fundo de investimento para a recuperação da bacia. Na proposta, previa-se a recuperação das 377 mil nascentes da bacia, num projeto de longo prazo, capaz de gerar frutos somente daqui a duas ou três décadas.

Como é de sua característica, Dilma buscava ler tudo sobre o assunto para discutir, de igual para igual, com qualquer técnico ou gestor da área. E não raro tentar refutá-los. Ela temia muito ser enganada pelos auxiliares. Preferia a admissão sincera do desconhecimento – não sem antes recomendar "estudar e fazer o dever de casa" – a perceber que seu interlocutor tentava dar voltas retóricas para esconder alguma informação ruim ou controlar as eventuais saídas para determinado problema. Bombardeava de perguntas o mensageiro de um projeto ou uma ideia. Essa sua característica, juntamente com a condição de presidente da República, claro, a tornava uma das pessoas mais difíceis de interagir, argumentar e contra-argumentar. Os mais vulneráveis tremiam. Era preciso preparo para entrar em qualquer diálogo sobre assuntos de governo. Uma tarefa para poucos. Na véspera de sua viagem a Minas, a ministra do Meio Ambiente, Izabella Teixeira, recebeu petardos em alto e bom som por telefone. Dilma tinha o mapa da região na cabeça e refutava, com ênfase, algumas informações repassadas por Izabella. Mas era possível perceber que, do outro lado da linha, havia alguém argumentando com igual ênfase. Seria assustador para alguns, mas era um embate interessante de se ver.

Na volta da sua visita, Dilma montou um grupo de gestão de crise para acompanhar as consequências do desastre. O grupo envolvia todos os órgãos que de algum modo trabalhavam com o tema – representantes, entre outros, do Ibama, da Defesa Civil, dos ministérios da Integração Nacional, Minas e Energia, Meio Ambiente e Casa Civil, responsável por conduzir os trabalhos. Também incluía a área de imprensa do Palácio do Planalto. Infelizmente, não seria o único grupo de crise. Viriam ainda os grupos de trabalho da microcefalia e da zika e do impeachment – para não falar das reuniões periódicas envolvendo os ministérios da área econômica a fim de tentar aplacar os efeitos de imagem provocados pela crise econômica.

No fim daquele mês de novembro, Dilma mostrava-se impaciente com a demora das mineradoras em propor um plano de reparação dos danos provocados pelo rompimento da barragem. Cansada de esperar algo que não chegava, convocou uma conferência por telefone com os presidentes da Vale e da BHP. Falou duro, cobrou ações e os ameaçou com uma ação judicial. Até ali, as duas controladoras tentavam manter-se distantes do problema. Para escapar da lama mortífera do julgamento da opinião pública, o presidente da Vale, Murilo Ferreira, chegou a dizer ao *The Wall Street Journal* que: "A Vale é apenas uma mera acionista da Samarco, sem nenhuma interferência operacional na administração dessa companhia, de modo direto ou indireto, próximo ou distante." Vale e BHP argumentavam que não interfeririam na gestão da controlada. Dilma ainda jogaria duro diretamente com a Samarco, quando se encontrou com o seu presidente, Ricardo Vescovi de Aragão. Ele só seria afastado da Samarco em janeiro.

Em dezembro, a Justiça creditou o desastre não só à Samarco, mas também à Vale e à BHP. Caberia às três mineradoras reparar o estrago. Foi quando os dirigentes procuraram a presidente em busca de um entendimento. Seria uma negociação dura, comandada, pelo lado do governo, pela presidente do Ibama, a engenheira Marilene Ramos. Envolveria também os governadores e os prefeitos das áreas atingidas, além do Ministério Público federal e estadual. Havia uma preocupação adicional: uma punição às empresas não poderia inviabilizar financeiramente a Samarco, afinal se precisaria dela para as reparações. Chegou-se a um valor significativo: R$ 20 bilhões, entre indenizações e reparações, a serem pagos em vinte anos pelas três empresas. Desse dinheiro, R$ 2 bilhões se destinariam aos municípios que tiveram estruturas públicas destruídas e às pessoas que perderam bens pessoais e tiveram seus negócios inviabilizados, como empresas, fazendas e hotéis. O restante ficaria para medidas reparatórias e de compensação pelo dano causado. Enfrentaríamos naquele mês diversas reportagens apontando uma suposta ausência de envolvimento do governo federal no socorro às vítimas – apesar da atuação direta da Defesa Civil Nacional, das Forças Armadas e de técnicos do Ibama, do Serviço Geológico Brasileiro, da Agência Nacional de Águas e do Departamento Nacional de Produção Mineral.

Somente no dia 13 de janeiro a Samarco apresentou o que o grupo de trabalho exigia diariamente: um plano de contenção da lama remanescente na barragem. O acordo seria anunciado em março, numa cerimônia no Palácio do Planalto com a presença dos ministros, do presidente da Vale, de diretores da BHP e dos governadores do Espírito Santo e de Minas Gerais. Pelo acordo, a Samarco e suas controladoras desembolsariam, nos primeiros três anos, cerca de R$ 4,4 bilhões em ações compensatórias. A dois meses de ser afastada da Presidência para enfrentar o processo de impeachment no Senado, Dilma aproveitou o discurso para exaltar o acordo e comparar aquela solução com a crise econômica em curso: "Se construímos acordo consensual em quatro meses, por que não se faz o mesmo com a crise econômica que afeta o país?", questionou. Naquele momento, ela tentava de todas as formas promover a união entre governo, Congresso, empresários e trabalhadores para encontrar soluções para a crise. O acordo seria homologado pela Justiça em maio, às vésperas do afastamento da presidente.

Capítulo 12

O ALGOZ

Era fim de tarde daquela quarta-feira, 2 de dezembro, quando o presidente da Câmara dos Deputados, Eduardo Cunha, declarou o que quase diariamente vinha ameaçando fazer: acolhia ali o principal pedido de impeachment contra a presidente Dilma Rousseff, preparado pelos advogados Hélio Bicudo, Miguel Reale Júnior e Janaína Paschoal. A peça era corroborada pela oposição e por alguns movimentos contrários a Dilma, ao PT e ao governo, como o Vem Pra Rua e o Movimento Brasil Livre – que já vinham comandando protestos país afora desde o início de 2015. Cunha havia ameaçado várias vezes, mas não colocava em prática. Ele tentava a todo custo negociar um acordo de proteção mútua com o Palácio do Planalto. Segundo sua proposta, o poderoso deputado seguraria os pedidos de impeachment, enquanto a presidente e o PT o ajudariam a se safar do risco de ter o mandato parlamentar cassado.

Durante várias semanas, foram idas e vindas nas conversas entre representantes do governo e Eduardo Cunha. Dilma se inquietava com aquele papo de acordo. Deixava alguns dos seus auxiliares prosseguirem o percurso para ver no que aquilo iria dar, sem jamais chancelar qualquer proposta de apoio. "Ele exige aquilo que não podemos prometer, muito menos garantir", disse mais de uma vez, em referência ao pedido de proteção do presidente da Câmara. Cunha passara meses engolfado por denúncias sobre denúncias, numa sucessão quase infindável de suspeitas e evidências. Corria contra ele um processo de cassação no Conselho de Ética da Câmara, por mentira: o peemedebista desfiara um rosário de versões consideradas pela imprensa e por acusadores como mirabolantes e inverossímeis para contas na Suíça creditadas a ele. Uma das mais impressionantes informava que ele fez, na década de 1980, durante dois anos, 37 viagens à África para vender carne enlatada. Ele teria comercializado ainda arroz e feijão, num movimento intenso que explicaria parte da fortuna depositada fora do país. Mentir em depoimento a uma CPI, como fizera, significa quebra de decoro, segundo as regras do Parlamento, e portanto motivo para cassação de um mandato. Há uma piada que corre nos corredores do Congresso brasileiro: ali você pode matar, mas jamais mentir. Se o parlamentar matar alguém e for perguntado sobre isso em uma CPI, não é cassado se disser que matou. Caberá então fazer sua defesa nos tribunais. Mas se ele mentir e ficar comprovado, aí sim pode perder o mandato.

O fato é que Cunha se complicou depois que o procurador-geral da República, Rodrigo Janot, pediu a abertura de investigação contra ele no Supremo Tribunal Federal. No pedido, Janot anexou material suficiente que comprovaria a existência das contas. O deputado enxergava na denúncia o dedo do Palácio do Planalto. Depois de negar que não tinha contas no exterior, passou a dizer, em entrevistas, que não era o dono das contas, mas "usufrutuário". Profundo conhecedor dos meandros do regimento interno da Câmara e com a vantagem de ocupar um posto que lhe garantia muito poder, Eduardo Cunha protelava como podia a tramitação do seu processo no Conselho de Ética. Mas sabia que suas manobras regimentais chegariam ao limite em algum momento. Certo de que a presidente e o PT também precisavam de sua ajuda, ele lançava ora ameaças, ora ofertas de rede de proteção – afinal, como presidente da Câmara, ele tinha a prerrogativa de aceitar ou engavetar os pedidos de impeachment contra Dilma.

Na declaração que deu por volta das 18 horas daquela quarta-feira, 2 de dezembro, Cunha negou agir por vingança ou retaliação contra o governo e o PT. "Completei dez meses na presidência da Câmara ontem, e durante esses dez meses, praticamente em todos os lugares do país em que eu andava a gente escutava uma coisa, as pessoas cobrando um posicionamento sobre os pedidos de impeachment", disse. "Não tenho nenhuma felicidade de praticar esse ato e não o faço por motivação de natureza política. (...) Eu sei que isso é um gesto delicado, no momento em que o país atravessa uma situação difícil, (...) não causa felicidade a ninguém isso." Na entrevista, Cunha lembrava ainda ter recebido um recorde de 34 pedidos de impedimento da presidente naquele ano. E não tinha como tomar outra decisão, afirmou, devido à edição, por Dilma, de decretos abrindo créditos suplementares sem a autorização prévia do Congresso, uma atitude que estaria em desacordo com a Lei Orçamentária. "O embasamento disso é única e exclusivamente técnico", afirmou. Segundo

Natuza Nery, da *Folha de S.Paulo*, antes da entrevista coletiva em que anunciou sua decisão, Cunha disse a assessores e aliados: "Sempre fui adversário do PT. Isso não muda nada. O PT só defende os seus presos, não os adversários." Depois do anúncio, disse que dormiria "tranquilo, como sempre".

Dois dias antes, o presidente da Câmara almoçou com o vice-presidente Michel Temer no Palácio do Jaburu. Lá, contou que negociava um armistício com o governo – Cunha estava rompido com o Planalto desde julho. No almoço, conforme relatou a repórter Julia Duailibi da revista *Piauí*, Cunha disse a Temer que escaparia do processo no Conselho de Ética. Tinha a seu favor três votos do PT, justamente os fiéis da balança no conselho. Em troca, deixaria dormindo em sua gaveta os pedidos de impeachment e ajudaria o governo a emplacar sua agenda de votações, incluindo a tramitação da CPMF, que Dilma voltara a defender. A pretensa simbiose dos dois lados era costurada pelo ministro-chefe da Casa Civil, Jaques Wagner, e pelo ex-presidente Lula. Uma vez, no gabinete da presidente, Jaques reclamou de Cunha: "Estou arretado hoje, presidente. Vou ligar para ele e dizer que assim não é possível. Combinamos uma coisa e no dia seguinte sai nota no jornal com ameaças", afirmou o chefe da Casa Civil, referindo-se a uma das muitas notícias que Cunha costumava plantar na imprensa, sugerindo que colocaria em pauta uma agenda qualquer indesejável para o governo – as "pautas-bomba" rondavam diariamente a curta distância que separa o Palácio do Planalto do Congresso.

Como sempre ocorria ao surgir o nome de Eduardo Cunha, Dilma reagiu com ressalvas e alertas: "Quem cede a chantagista uma vez tem que ceder sempre. Você vai ver aonde isso vai dar", disse-lhe. Na cabeça de Jaques Wagner e de Lula, no entanto, aquilo era entre os males o menor: o governo e suas contas andavam na corda bamba com o risco das pautas-bomba, e se um processo de impeachment avançasse não haveria sequer governo para defender. Dilma achava que cedo ou tarde Cunha deflagraria o processo contra ela. Até lá, o melhor era não enfrentá-lo abertamente. Às vezes ela própria não se segurava, e um dia, em viagem no exterior, rebateu com força declarações de Cunha, mesmo segundos antes tendo prometido ao assessor que não o faria. Na primeira pergunta de um jornalista, ela reagiu à provocação do presidente da Câmara. A despeito do ambiente de incerteza naquele relacionamento, Dilma sabia do tamanho da necessidade do governo. Havia uma nova meta fiscal, que autorizava o governo a fechar o ano de 2015 com um déficit de quase R$ 120 bilhões. Se aprovasse a nova meta – como foi feito – enfraqueciam-se os argumentos de que ela teria incorrido em crime de responsabilidade ao descumprir a Lei de Responsabilidade Fiscal.

Ao ouvir a notícia de que o PT o ajudaria no Conselho de Ética, Temer ouviu calado. "Faça o que achar melhor", disse-lhe o vice-presidente, lavando as mãos, segundo descrição de Julia Duailibi.

No dia seguinte, o deputado paraense Zé Geraldo, um dos três petistas com assento no Conselho de Ética, admitiu, com nítido constrangimento: "Não dá para esconder que estamos com a faca no pescoço porque Cunha tem a arma do impeachment e pode, sim, colocar isso em prática, o que não é bom para o Brasil." Zé Geraldo sugeria em público que o governo era vítima de chantagem de Cunha. "Se fosse só uma faca, estava bom. É uma metralhadora. Todo mundo sabe que o Cunha trabalha com esta arma. Não só o Cunha, o grupo dele e o PSDB estão só esperando", disse. Zé Geraldo informava ainda não haver consenso entre os três petistas – além dele, Valmir Prascidelli, de São Paulo, e Léo de Brito, do Acre. Eles temiam serem apontados como os responsáveis pela abertura do impeachment. Mostrava-se balançado. Parecia sugerir que o PT facilitasse o caminho do presidente da Câmara.

Ao ver a declaração do deputado, o presidente do PT, Rui Falcão, tratou de postar uma mensagem no Twitter – contrária ao que o deputado dizia. E garantia que o partido fechara questão e votaria pela aceitação do processo contra Cunha. Falcão declarou ainda estar seguro de que os três deputados do PT no Conselho de Ética seguiriam a recomendação do partido. Não foram poucos os que interpretaram o post de Falcão como um gesto destinado à militância, que se inquietava com os rumores de que o PT iria ajudar Eduardo Cunha. A possibilidade de acordo era a pauta única dos jornalistas naqueles dias. No dia seguinte se votaria a nova meta fiscal, e era difícil a comunicação naquele momento: no fundo, ao Palácio do Planalto interessava o assunto Eduardo Cunha correr em banho-maria até ver a nova meta aprovada. O destino do governo estava em jogo. Preservar a votação que mexeria com os rumos da economia e da presidente, ou aceitar a pressão de Rui Falcão e deixar os deputados do PT votarem contra Cunha, e com isso ver reduzida a margem para negociação do impeachment. Para alguns jornalistas que procuravam a Secretaria de Imprensa, o jeito foi deixar escapar uma declaração que saía pela tangente: "De uma forma ou de outra, não interessa ao governo a instabilidade política, daí o foco na agenda que precisa passar no Congresso."

Outros eram lembrados com o clichê: "A instabilidade política é a mãe de todas as crises. É ela que paralisa a economia e trava a atividade dos empresários, que, por incerteza sobre o futuro político do país, não arrisca, não investe e deixa de fazer negócios." Era difícil admitir qualquer intenção formal do governo àquela altura.

No começo da tarde daquele dia 2, o PT se reuniu no Congresso e anunciou que seus três votos no Conselho de Ética seriam contra Eduardo Cunha. Em seguida, com a ajuda do presidente do Senado, Renan Calheiros, a nova meta fiscal foi aprovada, com os parlamentares autorizando o rombo no Orçamento de 2015. Eram duas derrotas gigantescas para Cunha, que esperava a proteção do PT e preferia ver o circo econômico do governo pegar fogo. Trancou-se em seu gabinete e de lá só saiu para anunciar o acolhimento do pedido de impeachment.

O percurso do impeachment começava naquele 2 de dezembro, mas seu destino foi selado bem antes: em fevereiro de 2015, no segundo mês do segundo mandato de Dilma Rousseff. Mal a presidente foi reeleita, Michel Temer a procurou para tratar do Congresso. Candidato à presidência da Câmara, Cunha era o líder do PMDB e adversário do governo, a quem emparedara ao formar, em fevereiro de 2014, o chamado "blocão", com oito partidos da base aliada ao governo e mais de 250 deputados. O receio de Temer era o fortalecimento excessivo de Cunha – não exatamente por altruísmo ou preocupação com o futuro de Dilma, mas porque o crescimento do deputado enfraqueceria o vice-presidente dentro do PMDB, do qual era o presidente desde 2001.

Dilma não deu a atenção devida, e a candidatura de Eduardo Cunha se consolidou. Sua força era respeitável e, pelo que se dizia à boca pequena em Brasília, vinha da ajuda às campanhas de pelo menos cem deputados federais. Mais do que isso, a presidente estimulou a costura de um novo bloco, capaz de reduzir sua dependência do PMDB. Fazia sentido na teoria, mas a tentativa se revelou um desastre na prática. Sobretudo porque o bloco não vingou. Para completar, o PT, com o aval do governo, não quis acordo com o PMDB para a eleição da presidência da Câmara e lançou a candidatura do paulista Arlindo Chinaglia. Somente às vésperas da eleição, quando a derrota era certa, o governo tentou uma composição com os peemedebistas e Eduardo Cunha. Tarde demais. Eleito para o quarto mandato de deputado federal com 233 mil votos, Cunha conquistou a presidência da Câmara em primeiro turno, com 267 votos, entre 513 deputados – um vexame histórico para o governo. "Foi um erro", admitiria mais tarde o deputado Pepe Vargas, do PT do Rio Grande do Sul, na época ministro das Relações Institucionais de Dilma. A presidente jamais aceitaria a ideia de que o governo avaliou mal aquele processo.

Ao ocupar a cadeira mais importante da Câmara, Cunha passou a agir como se, na intimidade, produzisse galhofas. Uma prova de suas ironias: registrar um Porsche Cayenne S, ano 2013, avaliado em mais de R$ 400 mil, em nome da empresa Jesus.com. Usou o e-mail "sacocheio@" para tratar de assuntos relativos a propinas. Ao ser questionado se temia ser o próximo alvo da Operação Lava Jato, em julho de 2015, zombou: "A porta da minha casa está aberta, podem ir a hora que quiserem. Eu acordo às seis horas. De preferência, não cheguem antes para não me acordarem."

Assim como a ironia, ousadia nunca lhe faltou, desde que, em 1989, foi alçado à presidência da Telerj, a empresa telefônica do Estado do Rio de Janeiro quando a telefonia era estatizada. Chegou ao posto depois de ser o homem do cofre do comitê de campanha de Fernando Collor de Mello no Rio. Acabou exonerado após denúncia de superfaturamento identificado num contrato da estatal com uma empresa – o contrato havia recebido um aditivo de US$ 92 milhões. Em 2000, quando ocupava a presidência da Companhia Estadual de Habitação do Rio, ressurgiu no noticiário policial acusado de assinar contratos sem licitação e favorecer empresas-fantasmas. Cinco anos depois, foi protagonista na CPI dos Correios, devido à sua ligação com o doleiro Lucio Funaro, cujo esquema com corretoras esteve relacionado ao rombo de R$ 309 milhões do fundo de pensão carioca Prece. Segundo o noticiário, Funaro era quem bancava o aluguel de um luxuoso flat para Cunha em Brasília. Em 2007, pouco depois de o ex-prefeito do Rio Luiz Paulo Conde assumir a presidência de Furnas, a empresa abriu mão da compra de um lote de ações por R$ 6,9 milhões. Oito meses mais tarde adquiriu um lote idêntico, de outra empresa, por R$ 80 milhões. A empresa contemplada foi a companhia Serra da Carioca II, do Grupo Gallway. O dirigente da empresa: Lucio Funaro.

A desconfiança generalizada em relação a Eduardo Cunha atingiu o clímax na denúncia protocolada pelo procurador-geral da República, Rodrigo Janot. Ao pedir a abertura de inquérito contra o deputado – em parecer enviado ao Supremo Tribunal Federal, em outubro de 2015, dois meses antes do acolhimento do pedido de impeachment –, Janot afirmou ter indícios suficientes de que o dinheiro encontrado nas contas no exterior atribuídas ao deputado, sua mulher Cláudia Cruz e a filha Danielle Cunha eram "produto do crime". As contas na Suíça receberam depósitos de pelo menos 4,8 milhões de francos suíços e US$ 1,3 milhão, equivalentes a quase R$ 24 milhões. A Procuradoria-Geral da República chegou a receber das autoridades suíças cópias do passaporte, assinaturas e dados pessoais do presidente da Câmara. No material, incluía-se uma frota de carros de luxo usados por Cunha e sua família: dois Porsches, uma BMW e cinco SUVs. A denúncia abarcava ainda a informação de que ele teria recebido entre R$ 1 milhão e R$ 1,5 milhão em espécie do lobista Fernando Soares, conhecido como Fernando Baiano – um dos delatores que se tornaram conhecidos na Operação Lava Jato.

No comando da Câmara, Eduardo Cunha impôs à presidente uma sequência de derrotas e constrangimentos. "Quanto mais ela se fragiliza, mais ele exercita os músculos", escreveu em março a revista *Veja*, numa reportagem intitulada "O poderoso Cunha". O novo presidente da Câmara aparecia na capa da revista, os olhos impávidos atrás dos óculos, e a manchete: "A súbita força de Eduardo Cunha". A reportagem dizia que Dilma não tinha força para confrontar o peemedebista ou se impor ao Congresso. Definia o deputado como alguém que fez carreira na Câmara "com base em sua decantada capacidade de trabalho, disciplina e conhecimento das regras do jogo". Como ressalva, dizia que ele cobrava caro dos empresários por sua dedicação ao tema de interesse deles.

Apesar das citações aos ruidosos casos suspeitos nos quais se envolveu ao longo dos anos, tratava-se de uma matéria elogiosa: o poderoso, disciplinado e competente Eduardo Cunha contra um governo marcado por trapalhadas. Curiosamente, no fim de abril de 2016, com o impeachment aberto pela Câmara, sob a presidência de Cunha, e a poucos dias de o Senado sacramentar a decisão de afastar a presidente, a revista estamparia novamente o deputado em sua capa. Com um novo diretor – André Petry assumira pouco tempo antes o lugar de Eurípedes Alcântara –, Cunha apareceu sob o título "Fera, odiado e do mal". Com o semblante apropriado ao que o título anuncia, o deputado surgia numa reportagem mais desabonadora. Naquela semana, a conclusão geral no Palácio do Planalto era de que a capa deveria ter sido publicada quando ele conduzia o processo da Câmara. Ironicamente a capa contra a "fera do mal" saiu com o impeachment praticamente sacramentado.

Era algo que garantia um lamento especial de Dilma naqueles últimos meses de governo: ver um processo contra ela conduzido por alguém de biografia como a de Eduardo Cunha. Ele foi um dos alvos da presidente quando ela proferiu um dos seus mais duros discursos contra a campanha pelo impeachment, na noite de abertura do 12º Congresso da CUT, em 13 de outubro. Foi o momento em que se referiu aos "moralistas sem moral". E perguntou: "Quem tem força moral, reputação ilibada e biografia limpa para atacar a minha honra?" A comparação entre as biografias da presidente e do seu principal algoz, assim como a deflagração do processo como uma retaliação de um chantagista, marcaria a reação do governo na batalha contra o impeachment.

Capítulo 13

A REAÇÃO

Antes de fazer o anúncio oficial, o presidente da Câmara, Eduardo Cunha, ligou para o vice-presidente Michel Temer para informá-lo da sua decisão. Disse não mais confiar no PT e no governo e que iria deflagrar o processo de impeachment contra a presidente Dilma Rousseff, aceitando o pedido feito na representação assinada pelos advogados Hélio Bicudo, Miguel Reale Júnior e Janaína Paschoal. Naquele dia, Temer recebeu em almoço no Palácio do Jaburu caciques do PSDB e do DEM. O anfitrião prometeu um "governo de união nacional" em caso de impeachment. Em contrapartida, os convidados lhe garantiram que ele teria, no Senado, o apoio de pelo menos 45 dos 81 senadores. O vice-presidente se movimentava para assumir o lugar de Dilma.

Ainda à tarde, a presidente Dilma Rousseff soube do que viria. Chamou ao Palácio do Planalto o ministro da Justiça, José Eduardo Cardozo, e o advogado-geral da União, Luís Inácio Adams. Em seu gabinete já se encontravam os ministros Jaques Wagner (Casa Civil) e Ricardo Berzoini (Secretaria de Governo) e o assessor especial Gilles Azevedo. "Parece que o rapaz vai aceitar o pedido", disse. O "rapaz" era, claro, Eduardo Cunha, e assim ela o chamava quando se mostrava irritada. Como ocorria muitas vezes durante os mais duros episódios que enfrentava no governo, a primeira reação da presidente era de fúria. Palavras fortes e respostas ríspidas seguiam o curso natural de suas ações. Na hora de combinar a reação – um pronunciamento no segundo andar do Palácio, sem perguntas dos jornalistas – seu tom já estava sereno e firme. Nessas horas emergia na presidente uma espécie de concentração e foco incomuns, como quem exercita a própria racionalidade para garantir força e eficácia naquilo que produzirá a partir de então. Foi o caso.

Quando Cunha fez seu anúncio, depois das seis da tarde, a conclusão no gabinete foi a mais óbvia possível: o impeachment começava ali. Apesar de o PSDB e o candidato derrotado nas eleições de 2014, Aécio Neves, terem namorado o perigo desde o dia seguinte à eleição, o fantasma que rondava o Planalto nos 11 meses do segundo mandato finalmente havia se transformado num fato consumado. Com aquele anúncio, Eduardo Cunha, o homem acusado de manter contas no exterior com dinheiro de corrupção na Petrobras, deflagrara o processo que pedia a cassação de uma mulher de biografia limpa. Esse era o pensamento de Dilma naquele momento: achava uma ironia aquele descompasso de biografias entre algoz e vítima. "Vou falar hoje", disse, ordenando em seguida que um assessor buscasse no Palácio da Alvorada a muda de roupa que usaria no pronunciamento. E desabafou: "Todos conhecem meus defeitos. Sabem que não sou ladra." Seria por ali o caminho do comunicado que faria duas horas depois do anúncio de Cunha. Dilma queria algo forte.

Havia um certo alívio na presidente: pelo menos acabava a indefinição que estava "imobilizando" o governo. O fantasma do impeachment rondava o Palácio de maneira indefinida, o deputado Eduardo Cunha pressionava o governo de maneira indefinida, o país parava à espera daquele processo de maneira indefinida. Indefinição encerrada, caberia traçar uma estratégia para derrotar o pedido de impeachment. "Agora é guerra aberta", disse um dos ministros. "É uma luta de projetos políticos diferentes", emendou outro. "Foi melhor assim", afirmou mais um. "Se não conseguirmos 171 votos para derrubar o pedido no plenário da Câmara, é melhor mesmo ir para casa", confidenciou um quarto (com prudência disse isso longe dos olhos e ouvidos da presidente).

Dilma e José Eduardo Cardozo comandaram o processo de escrita do pronunciamento, com as devidas contribuições dos presentes no gabinete. Ao embate de biografias se acrescentaria a motivação do gesto do presidente da Câmara: a retaliação contra o governo. "Você acha forte a mensagem de que estávamos sendo vítimas de chantagem?", perguntou-me, logo de partida, o ministro Jaques Wagner. Ele tinha sido um dos interlocutores do presidente da Câmara quando este tentava convencer o Palácio do Planalto e o PT de que o melhor caminho era um acordo de proteção mútua. Jaques sabia mais do que ninguém as razões do gesto. A palavra-chave escolhida para ser usada: barganha. Sem sucesso, Cunha retaliara. "É o pecado original do pedido", definiu José Eduardo Cardozo. Com o pecado da vingança e a ficha corrida do deflagrador do processo, não haveria legitimidade no senhor do impeachment. Esse era o roteiro traçado para o pronunciamento. No momento em que escrevia no computador, a presidente recebeu um telefonema de solidariedade do ex-presidente Lula. Agradeceu e reforçou alguns dos pontos que marcariam sua defesa. Encerrado o texto, Dilma ligou para o vice-presidente Michel Temer. "Eu não podia mais ficar sob chantagem", disse-lhe.

Mas essa não foi a única tarefa a cumprir naquele momento. Era consenso que o discurso da presidente fosse ao ar, ao vivo, no *Jornal Nacional*. Eu e o ministro Edinho Silva, que teve o azar de estar em São Paulo naquela quarta-feira, combinávamos com a Globo detalhes de links e horários precisos de entrada do programa. A margem de erro era estreitíssima e um pequeno atraso ou uma entrada antes da hora tiraria a presidente do jornal de maior audiência do país. Afetaria o desejado por todos e, especialmente, pela presidente: a entrada no ar sem cortes, ao vivo.

Paralelamente os ministros Ricardo Berzoini e Jaques Wagner tiveram a ideia de convocar ministros de diferentes partidos para estar ao lado da presidente durante o pronunciamento. Era outro recado simbólico e necessário: ela teria o apoio de todos os partidos durante o processo na Câmara. Seria uma demonstração de força suprapartidária. Na antessala do gabinete presidencial, duas secretárias e o chefe de Gabinete, Álvaro Baggio, passaram a convocar ministros para o discurso. Cada um teria poucos minutos para sair dos seus gabinetes na Esplanada, chegar ao Palácio e aparecer ao lado de Dilma. Na correria dos telefonemas, uma das secretárias, com boa-fé, perguntou a Jaques Wagner se deveriam chamar o vice-presidente. Parecia uma ironia. Com sua fala mansa e uma seriedade que escondia o humor por trás da resposta, o ministro da Casa Civil respondeu: "Não. Deixe o vice-presidente no Jaburu. É muito longe. Não vai dar tempo de ele chegar aqui." Obviamente Jaques sabia que, na verdade, Temer recusaria qualquer convite à participação no embate entre Dilma e Cunha – o Palácio do Jaburu fica a menos de cinco minutos de carro do Planalto, mas ninguém ousou lembrar este detalhe ao ministro.

Dilma estava tensa com o horário da TV. "Você sabe por que estamos aqui parados, esperando?", perguntou-me, na porta de seu gabinete. "Porque estamos convocando os ministros que a acompanharão", respondi. "Não! Estamos aqui para entrar no *Jornal Nacional*. Se já tivéssemos descido eu teria entrado antes!", retrucou. Respirei fundo e lembrei-lhe que aquela noite, quarta-feira, era dia de futebol. O *Jornal Nacional*, portanto, entraria no ar mais cedo. De longe, Edinho Silva já havia chamado minha atenção para este detalhe. A caminho do segundo andar, descendo com a comitiva de assessores e ministros, a presidente ainda parou na escada: "Você tem certeza de que estamos no horário?" No fim das contas, o *Jornal Nacional* não deu o discurso ao vivo. Começou o programa e em seguida chamaram um repórter direto do Palácio – este informou que a presidente acabara de fazer um pronunciamento em resposta ao pedido aberto de impeachment, e anunciou a reprodução integral do discurso. Não foi ao vivo, mas o discurso estava lá, completo.

Dilma exibiu serenidade e firmeza durante os três minutos em que fez o pronunciamento. A seu lado, os ministros mais próximos e aqueles que chegaram a tempo de aparecer junto a ela: os petistas Jaques Wagner (Casa Civil), Ricardo Berzoini (Secretaria de Governo) e José Eduardo Cardozo (Justiça); o advogado-geral da União, Luís Inácio Adams; Aldo Rebelo (Defesa), do PCdoB; Armando Monteiro (Desenvolvimento, Indústria & Comércio), do PTB; André Figueiredo (Comunicações), do PDT; Celso Pansera (Ciência & Tecnologia) e Henrique Eduardo Alves (Turismo), do PMDB; e Gilberto Kassab, do PSD. Em seguida chegariam, do PMDB, Helder Barbalho (Secretaria de Portos) e Kátia Abreu (Agricultura).

"Recebi com indignação a decisão do senhor presidente da Câmara dos Deputados de processar pedido de impeachment contra mandato democraticamente conferido a mim pelo povo brasileiro. São inconsistentes e improcedentes as razões que fundamentam este pedido", disse a presidente no início, sem mencionar o nome de Eduardo Cunha. Em seguida partiu para o ataque direto e a comparação entre as biografias dos dois: "Não existe nenhum ato ilícito praticado por mim. Não paira contra mim nenhuma suspeita de desvio de dinheiro público. Não possuo conta no exterior nem ocultei do conhecimento público a existência de bens pessoais. Nunca coagi ou tentei coagir instituições ou pessoas, na busca de satisfazer meus interesses. Meu passado e meu presente atestam a minha idoneidade e meu inquestionável compromisso com as leis e a coisa pública." Dilma lembrou ainda que, nos últimos dias, a imprensa noticiara que "haveria interesse na barganha dos votos de membros da base governista no Conselho de Ética". Em troca, ressaltou, haveria o arquivamento dos pedidos de impeachment. "Eu jamais aceitaria ou concordaria com quaisquer tipos de barganha, muito menos aquelas que atentam contra o livre funcionamento das instituições democráticas do meu país, bloqueiam a justiça ou ofendem os princípios morais e éticos que devem governar a vida pública." E encerrou demonstrando "convicção e absoluta tranquilidade" quanto à improcedência desse pedido – e assim o faria durante todo o processo, quando insistiria diariamente na improcedência do pedido de impeachment, por ausência de crime de responsabilidade. E se retirou, tão firme e serena quanto entrou no salão onde fez o pronunciamento.

De volta ao seu gabinete, assessores, ministros, deputados e senadores já a esperavam e puxaram uma salva de palmas. "Agora é guerra", repetiram. Para todos a presidente vencera a primeira batalha da comunicação no embate com Eduardo Cunha. No *briefing* da manhã seguinte, confirmei a tese da vitória com evidência prática: nos telejornais, nos jornais impressos e nas versões on-line, a mídia foi unânime no retrato do que de fato ocorrera: um processo deflagrado como um ato de retaliação, a reação indignada de uma presidente que não aceitou ser chantageada e expôs, com firmeza, uma comparação de biografias entre ela e Cunha. "Cunha perde apoio do PT e aceita impeachment; Dilma se diz indignada", era a manchete do jornal *O Estado de S. Paulo*. Em outra chamada na primeira página, destacava: "Não vou aceitar ser chantageada". Na *Folha*: "Cunha retalia PT e acata pedido de impeachment contra Dilma". No jornal *O Globo*: "Cunha retalia PT e abre impeachment contra Dilma", com o subtítulo apontando que a presidente reagiu, disse que não cometeu atos ilícitos e atacou adversários. No UOL, o portal de maior audiência do país, a manchete destacava a frase da presidente mencionada por Natuza Nery em sua coluna na *Folha*: "Todos sabem que não sou ladra, disse Dilma a aliados após discurso". No segundo maior portal, o G1, aparecia o ministro Jaques Wagner afirmando: "Cunha lança mão de chantagem e viola regras democráticas para salvar seu mandato".

Os jornais também informaram que, enquanto o pronunciamento era transmitido ao vivo pelas TVs, um panelaço era ouvido em diversas partes do país. Bairros nobres de São Paulo, Rio de Janeiro e Curitiba eram mencionados, além de algumas poucas pessoas reunidas em frente ao Palácio do Planalto. Também citaram-se manifestantes do Movimento Brasil Livre em frente ao Museu de Arte de São Paulo, o Masp, na avenida Paulista. O número de manifestantes presentes ao protesto dava uma ideia clara de seu tamanho: cerca de cem pessoas. Posso ter sido ingênuo ou esperançoso em demasia, mas aquele começo parecia animador para a comunicação do governo e da presidente.

Em sua coluna no domingo seguinte, o jornalista Janio de Freitas escreveu: "Se o preço era provocar um ato vingativo, o PT pagou-o. Não podia apoiar alguém como Eduardo Cunha no Conselho de Ética. Para aliar-se a ele é necessária uma qualidade especial: equivaler a ele." Em outra nota, fez um comentário sobre um dos excessos que, com razoável frequência, eram cometidos pela imprensa: "No noticiário sobre o pedido de impeachment para Dilma, no Rio um jornal informou o aumento imediato da Bolsa [de Valores]. No dia seguinte, o senador Ronaldo Caiado, com a seriedade de representante da bancada ruralista, retomava o aumento como prova do apoio 'popular' ao impeachment. Jornalistas e senador esqueceram que, ao ser comunicada por Eduardo Cunha a sua decisão, a Bolsa já estava fechada havia quase três horas."

No mesmo dia, Elio Gaspari escreveu:

> Numa conta de hoje, é provável que a doutora Dilma tenha os 171 votos de deputados necessários para bloquear sua deposição. Com gente na rua pedindo que ela vá embora, a conta será outra. O sonho de Eduardo Cunha é que milhões de pessoas ocupem as avenidas e se esqueçam dele. Essa hipótese é improvável. Se é para sair de casa, tirar Dilma pode ser pouco. Deveriam ir embora ela, ele e uma lista interminável de maganos arrolados na Lava Jato. Tirá-la para colocar Michel Temer no lugar pode ser um imperativo constitucional, mas está longe de ser uma vontade popular.

Gaspari lembrou uma diferença essencial de Dilma em relação ao que ocorreu com Collor em 1992: "Dilma tem gente disposta a ir para a rua em sua defesa." Essa era uma convicção absoluta que reinava no Palácio – a presidente, Lula, seus ministros e aliados sabiam da capacidade de mobilização que tinham, algo que se confirmaria nos meses seguintes, mas não seria suficiente.

Dilma sempre cresceu nos momentos de crise, e ali se viu mais um exemplo dessa sua característica. Mas os problemas, já avolumados, ganhavam maior dramaticidade. Aquele final de 2015 lotava o Palácio do Planalto de problemas. Não bastassem a economia em frangalhos, ministros incorporados às denúncias da Operação Lava Jato, a lama trágica de Mariana e o surto de microcefalia, que surgira antes do início do verão, ainda se adicionaria a zika. E naquele momento, o derradeiro problema: o processo de impeachment tornado real e concreto. O ministro Jaques Wagner era um dos que a partir dali diriam, aliviados, que a batalha passava a se dar "em campo aberto" e não mais "no mundo da chantagem". Disse isso no fim daquela noite ao repórter Valdo Cruz, da *Folha de S.Paulo*. Para o ministro, a decisão de Cunha fez cair a "máscara" do peemedebista, que tentava transmitir a seu ato um tom institucional que nunca existiu.

Mas não haveria vida fácil desde as primeiras horas após a deflagração de Cunha, numa batalha não de mobilização, mas de retórica. O presidente da Câmara não tardou a reagir ao pronunciamento de Dilma. Já na manhã do dia seguinte, acusou a presidente de mentir à nação ao afirmar que jamais aceitaria qualquer barganha contra o funcionamento das instituições democráticas. Cunha disse que Dilma se reuniu com um dos principais aliados dele, o deputado federal André Moura, do PSB de Sergipe. No encontro, ela teria oferecido, em troca da recriação da CPMF, o apoio dos deputados petistas ao arquivamento do processo de cassação do mandato de Cunha no Conselho de Ética da Câmara. Disse ainda que o ministro Jaques Wagner também o procurou para evitar a deflagração do processo.

Rapidamente Jaques Wagner foi escalado por Dilma para rebater Cunha. Não fazia sentido a presidente se rebaixar e entrar naquele tipo de embate. "Quem mentiu foi o presidente da Câmara. [O deputado] André Moura não esteve com a presidente Dilma, esteve comigo", afirmou o ministro, que voltou a falar na chantagem de Cunha e no lado bom do acolhimento do pedido de impeachment – ele encerrava as chantagens do presidente da Câmara. "Acho ótimo que saímos da coxia e viemos para o palco, o que acaba com qualquer chantagem", resumiu.

Naquela mesma quinta-feira, dia 3 de dezembro, Dilma convocou mais de vinte ministros para participar de uma reunião no Palácio do Planalto. "Não podemos dar a sensação de que o país parou para acompanhar o processo de impeachment", disse. No encontro, combinou-se que ela retomaria sua agenda de viagens pelo Brasil, inaugurando obras com a participação de ministros dos respectivos estados. Mais do que nunca, era a hora de mostrar que ninguém havia parado, muito menos o governo. Dilma, seus ministros e assessores trabalhariam como nunca nos seis meses seguintes.

Uma das primeiras tarefas seria organizar um grupo de trabalho para gerenciar o impacto do processo de impeachment sobre o governo – na verdade, dois grupos: um gabinete de crise político e outro de comunicação.

Começava ali a construção do plano de combate da presidente para derrotar o pedido de impeachment. Ela atuaria pessoalmente para atrair o apoio de pesos pesados do PIB. Lula ficaria responsável pela infantaria, buscando a adesão das ruas. Ministros políticos tentariam desorganizar a base de Eduardo Cunha, trabalhando para herdá-la caso o presidente da Câmara caísse antes de o impeachment ser votado em plenário. E o ministro José Eduardo Cardozo ficaria responsável pela "judicialização" do debate do impeachment, questionando no Supremo Tribunal Federal todos os passos dados por Cunha. Era uma guerra-relâmpago que exigiria estratégia, agilidade, inteligência e sorte. Cardozo lembrava nas conversas internas: a Lei do Impeachment era muito antiga, de 1950, e portanto havia espaço para discussão.

Três ações foram apresentadas ao tribunal naquele dia. Duas delas foram analisadas e consideradas improcedentes pelos ministros Celso de Mello e Gilmar Mendes já na quinta-feira. Mesmo assim, outros recursos viriam de maneira constante até o fim do processo, em agosto de 2016. Uma delas era uma Arguição de Descumprimento do Preceito Fundamental (ADPF). Ingressada no Supremo pelo PCdoB, mas gestada por um grupo de advogados do Ministério da Justiça e da Casa Civil, a ADPF queria que o Senado tivesse o poder de barrar o processo de impeachment, mesmo que o plenário da Câmara aprovasse sua abertura. Em outras palavras, pedia que o rito fosse o mesmo de 1992, usado no impeachment de Fernando Collor de Mello, quando o STF fez uma interpretação da Constituição de 1988 para definir a regra. Houve outro questionamento: a aprovação, pelo plenário da Câmara, da chapa avulsa pró-impeachment.

No dia 16 de dezembro, véspera do julgamento da ação que, na prática, definiria o rito do processo de impeachment na Câmara, o ministro Edson Fachin, relator do caso, distribuiu o voto para os demais ministros do STF, e parte dele foi vazado para a imprensa. O governo chorou antes da hora, e a oposição vibrou: para Fachin, a chapa da comissão pró-impeachment valia, o voto seria secreto na comissão especial do impeachment, e o Senado seria obrigado a acatar a decisão da Câmara. Naquela noite, no Palácio da Alvorada, o clima foi de velório. Nenhum ministro presente, nem o ex-presidente Lula nem a presidente Dilma entenderam o que havia acontecido. Se Fachin, tido como um aliado no Supremo, votava daquele jeito, o pior estava por vir.

No dia da sessão, o primeiro a se pronunciar foi o ministro Luís Roberto Barroso. Seu voto, avisou, seria "curto" e "simples": afirmou que se pautava pela jurisprudência definida pelo Supremo durante o procedimento de 1992 contra Collor. Adotava, portanto, o entendimento defendido pelo governo e divergia de Fachin. O Senado, segundo ele, deveria ter o poder de barrar a decisão da Câmara. Barroso também votou contra a chapa avulsa de Cunha e a favor do voto aberto dos deputados na comissão especial do impeachment. Sua posição acabou sendo majoritária entre os ministros. O governo ganhava uma sobrevida importante.

Naquela noite, a presidente participava da cerimônia de inauguração do Museu do Amanhã, acompanhada do governador do Rio, Luiz Fernando Pezão, e do prefeito Eduardo Paes. Ao se despedir de Dilma no III Comar, o Comando Aéreo Regional, no Rio, Pezão fez a piada: "Vou correndo pra casa agora. Quero ver a cara do Merval no *Jornal das Dez*", referindo-se ao jornalista Merval Pereira, colunista do jornal *O Globo* e comentarista da GloboNews, um dos mais ácidos críticos do governo que, naquele dia, não escondera a euforia com o voto de Edson Fachin. No avião presidencial, Dilma pediu os detalhes e os votos de cada ministro do Supremo. Enquanto ouvia, ligou para o ministro Ricardo Berzoini e seguiu anotando o placar num pedaço de papel. Encerrou a ligação e desabafou: "Sensacional!", comemorou a presidente ao constatar todos os votos e resumir o placar. "Eu estava com a faca no pescoço."

A reação ganhava um alento significativo. Fachin, nomeado por ela em 2015, e José Antonio Dias Toffoli, ex-advogado do PT e ex-advogado-geral da União, eram as decepções ao votarem contra o governo em todos os pedidos. Mas ali o governo ganhou sobrevida, e tanto Dilma quanto Pezão correram para ver o que Merval Pereira iria dizer diante daquela vitória no Supremo.

Capítulo 14

O VICE CONSPIRA

O estranhamento foi inevitável – mas não tão surpreendente assim. Tão logo o presidente da Câmara dos Deputados, Eduardo Cunha, aceitou o pedido de impeachment da presidente Dilma Rousseff, Michel Temer adotou a estratégia do silêncio. Recolheu-se à reserva, sem pronunciamento público. Pelo menos nos primeiros momentos, decidira adotar a postura de "recolhimento total". Com isso, o vice-presidente olhava em duas direções: evitava a ligação pública com seu aliado Eduardo Cunha e esperava para ver como o setor privado e o mercado financeiro reagiriam à deflagração do processo. Fazia assim jus à sua fama. Temer era conhecido por seus gestos calculados – o jornalista Elio Gaspari escreveu certa vez que o vice-presidente era o tipo de político que pensava duas vezes antes de dizer bom-dia.

Dilma sabia, no entanto, da movimentação do seu vice. Sabia que Cunha o avisou previamente de sua decisão de aceitar o pedido de impeachment contra ela. Sabia que uma parcela significativa do PMDB discutia com setores do governo e da oposição sobre o dia seguinte à sua queda. Sabia que Temer recebera, em sua residência oficial, sete senadores da oposição para discutir o rito de afastamento de Dilma: José Serra, Aloysio Nunes Ferreira e Tasso Jereissati pelo PSDB; Agripino Maia pelo DEM; Ricardo Ferraço e Waldemir Moka pelo PMDB; e Fernando Bezerra pelo PSB ouviram promessas favoráveis do anfitrião. Nas primeiras horas após a deflagração do impeachment, tratou de fazer chegar à imprensa uma declaração curta: "Espero que ao final deste processo o país saia pacificado." Evitou fazer uma defesa enfática da presidente e afirmou que o governo "fornecerá informações que serão analisadas adequadamente pela Câmara". Vaselina pura, como se definiu à boca pequena no Palácio do Planalto.

Não foi à toa que imediatamente a presidente tentou colocar o guizo em Temer. Em 3 de dezembro, dia seguinte ao anúncio de Eduardo Cunha e seu pronunciamento em resposta ao presidente da Câmara, Dilma chamou o vice-presidente para uma conversa no Palácio do Planalto. Foi um encontro quase protocolar, no estilo do relacionamento dos dois naquele momento. Mas ali, talvez, tenhamos cometido um erro. Encerrada a reunião, o Planalto começou a espalhar a versão de que o vice teria, na audiência com Dilma, desqualificado o pedido de impeachment. Jaques Wagner e Edinho Silva foram mais longe ainda: forçaram a mão ao dizer para a imprensa, em declarações *on the record*, que Temer assessoraria a presidente na batalha contra o impeachment.

Era uma estratégia arriscada. A ideia: forçar um posicionamento público do vice-presidente, uma forma de evitar aquele silêncio inquietante a que ele optara. O Palácio do Planalto buscava, com isso, induzi-lo a alguma mensagem de apoio, ou de solidariedade, durante a tramitação do processo. Ou, no mínimo – para usar uma expressão dita reservadamente pela presidente –, evitar que ele se movimentasse com tanta desenvoltura. O problema é que ninguém combinou com os russos alojados na Vice-Presidência. Enquanto no Palácio do Planalto se difundia a tese de que Temer havia assumido o compromisso de estar junto com Dilma "na defesa da legalidade e da estabilidade institucional do país", aliados do vice-presidente diziam que ele se limitou a recomendar à presidente uma "postura institucional", evitando o conflito com Cunha para "não aprofundar a crise já posta". Até mesmo a duração de encontro foi motivo de divergência pública. O Palácio do Planalto divulgou que a reunião durou toda a manhã. Pessoas próximas a Temer anunciaram que os dois estiveram juntos por apenas trinta minutos. A maioria da imprensa embarcou na versão desfavorável a Dilma. Jaques Wagner tratou de negar que Temer tenha sugerido a Dilma não entrar em conflito público com Cunha. "Eu estava presente na conversa inteira e não vi essa citação do vice-presidente", disse.

Começou ali uma sucessão de "elogios" a Temer. De Jaques Wagner: o vice-presidente "tem uma longa trajetória de ser democrata e constitucionalista". Assim como nós, emendou, Temer não via nenhum lastro para esse processo de impeachment. De Edinho Silva, sobre a suposta participação de Temer em um complô para tirar a presidente do governo: "Esta postura não cabe na biografia do vice-presidente. Num momento como este, flertar com o impeachment não condiz com ele."

Tudo aquilo irritou o vice-presidente e ele precisou descer do muro. Foi a público afirmar que não ajudaria Dilma e via "lastro jurídico" no pedido. Seu flerte com a oposição e o movimento pró-impeachment estava cada vez mais evidente. Na sexta-feira, dia 4, o principal aliado de Temer, Eliseu Padilha, pediu demissão da Secretaria de Aviação Civil. E outro aliado muito próximo, o ex-ministro Moreira Franco, avaliou em entrevista estar "cristalizando a convicção de que o tempo corre contra o país". E emitiu o parecer definitivo do rompimento do grupo mais próximo a Temer: "Não dá mais. Temos que ter uma solução." A frase foi lida pelo restante da oposição e também pelo governo como sinalização forte de que o grupo de Temer não moveria um fio de cabelo para frear o andamento do impeachment. O rompimento explícito seria uma questão de dias. Imediatamente à demissão de Eliseu Padilha, o ministro Edinho Silva foi a público para dizer: "Não é perfil do vice-presidente Michel Temer desembarcar do governo." Era o recado que a presidente mandava ao vice. Caberia a Temer a missão de reunificar o partido, já que a chapa Dilma-Temer, eleita em 2014, valia "até 2018", segundo palavras de Edinho Silva.

A própria presidente entrou no jogo em favor de uma manifestação do vice. No sábado, dia 5 de dezembro, em viagem ao Recife para lançar o Plano Nacional de Enfrentamento à Microcefalia – problema que aparecera e aos poucos se tornava grave –, Dilma aproveitou uma entrevista coletiva para sublinhar a confiança que mantinha no vice-presidente. Aquilo equivalia a uma cobrança pública: "Espero integral confiança do Michel Temer e tenho certeza que ele a dará. Conheço o Temer como político, como pessoa e como grande constitucionalista."

No dia seguinte, reportagens de bastidores, produzidas com fontes próximas ao vice-presidente, devolviam o recado: não caberia a ele fazer oposição à presidente nem liderar movimentos para tirá-la do Palácio do Planalto. "Ela nunca confiou em mim", teria dito a amigos, que trataram de vazar a declaração. "Por que agora ela quer minha confiança?" Em suas conversas vazadas para a imprensa, Temer teria afirmado ainda que a presidente deveria assumir a tarefa de pacificação nacional, fazer gestos nesse sentido – e nisso os dois estariam de acordo. Mas até ali, dizia, ela havia preferido partir para o confronto.

Na segunda-feira, dia 7 de dezembro, o circo se completou: Temer faltou à reunião de coordenação política em Brasília para ser homenageado por um grupo de empresários, em um almoço ao lado do governador de São Paulo, o tucano Geraldo Alckmin. Até ali, no entanto, havia resistências ao embarque pelo impeachment dentro do próprio PSDB. Da cúpula tucana, o senador José Serra era o maior entusiasta. Enquanto ele se candidatava imediatamente a ministro de um eventual governo Temer, seus principais adversários dentro do partido, Geraldo Alckmin e Aécio Neves, olhavam torto. "Temer foi um instrumento desse governo que acabou com o Brasil", disse o candidato derrotado por Dilma em 2014. Como ocorreria em grande parte do tempo em que o assunto impeachment tomou conta do país, os tucanos se dividiriam – e, na interpretação generalizada do Palácio do Planalto, faziam isso menos por convicção e mais por interesses intrapartidários. Convém lembrar que Aécio flertou com Cunha durante meses e, ao se ver desgastado pela aliança, pôs o foco na solução por meio do TSE: o Tribunal Superior Eleitoral julgaria as ações movidas pelo grupo de Aécio depois das eleições, nas quais a chapa Dilma-Temer era acusada de abuso de poder econômico e político na campanha presidencial de 2014. Se condenados, presidente e vice-presidente seriam cassados, e novas eleições seriam convocadas.

No mesmo dia, na sede da Federação do Comércio de São Paulo, o vice--presidente apresentou o chamado Plano Temer para empresários. O plano nasceu originalmente como "Uma ponte para o futuro", ainda em outubro, mas a partir da deflagração do processo de impeachment foi rebatizado de "Plano Temer" – assim mesmo, sem pudores. Com a falência da agenda econômica e com Joaquim Levy bombardeado pelo PT, o vice-presidente encomendara a Moreira Franco, presidente da Fundação Ulysses Guimarães, ligada ao PMDB, um programa com propostas para o país. Embarcou na produção Roberto Brant, ex-ministro da Previdência de Fernando Henrique Cardoso, que pediu ajuda ao professor Delfim Netto, que por sua vez conversou com José Serra. O documento continha propostas na área econômica, como a flexibilização das leis trabalhistas, o fim da indexação do salário dos aposentados ao salário mínimo e o fim das chamadas vinculações constitucionais no Orçamento – o carimbo obrigatório de despesas destinadas à saúde e educação. Era música para os ouvidos de grande parte do empresariado.

"Uma ponte para o futuro", apresentado no início de novembro, num encontro do PMDB no qual o vice foi chamado de presidente, foi repetido e exaustivamente difundido junto a empresários, em encontros sucessivos organizados por Moreira Franco, Romero Jucá e Michel Temer. O encontro do partido era uma espécie de "esquenta" para a Convenção Nacional prevista para março, quando oficialmente seria selado o destino da aliança do PMDB com o governo. O documento era uma forma de defender a tese de que o maior partido da base de apoio de Dilma estava pronto para assumir o país. "É um pano de fundo para uma transição", definiu o senador Romero Jucá para analistas do mercado financeiro, num encontro realizado em novembro – antes, portanto, de Eduardo Cunha acolher o pedido de impeachment.

O encontro reunindo Temer e empresários na Fecomércio-SP pareceu demais para a presidente Dilma. Ela soube, furiosa, que o vice falou por cerca de meia hora, fez críticas à política econômica do governo e defendeu uma reforma da Previdência e a implantação de medidas de combate ao desemprego e à inflação. Temer afirmou ainda que o Brasil poderia estar melhor se Dilma não tivesse mudado a condução da economia que vinha sendo seguida desde o governo de Itamar Franco (1993-94). Disse também platitudes, como a de que o país estava parado e precisava retomar o crescimento econômico.

Apesar da irritação, a presidente se segurou e nada disse em público. A manifestação do desconforto veio de um aliado de fora do governo, mas extremamente útil nos momentos em que era necessário fazer um ataque além do tom padrão: o ex-ministro Ciro Gomes. Em declaração pública, Ciro chamou Temer de "capitão do golpe". Buscava-se ali transmitir ao país a imagem de que o Brasil tinha um vice-presidente conspirando contra a presidente.

Capítulo 15

#CHATEADO

"A temperatura subiu ainda mais em Brasília." Com essa frase-clichê, em 8 de dezembro de 2015, Ana Paula Araújo, a apresentadora do noticiário matinal da TV Globo, *Bom Dia Brasil*, deu início à reportagem de quase seis minutos sobre a carta que o vice-presidente Michel Temer havia enviado à presidente Dilma Rousseff no dia anterior. Seria o tom generalizado com que a imprensa trataria os efeitos produzidos pela mensagem de Temer a Dilma: selava-se ali um rompimento entre os dois. Ou quase.

Na tarde anterior, o ex-ministro Eliseu Padilha concedeu uma entrevista na sede do PMDB, em Brasília, na qual procurou esclarecer os motivos de sua saída da Aviação Civil, anunciada dias antes. Padilha disse que iria se dedicar ao partido e afirmou que ele e o vice-presidente Michel Temer não iriam conspirar pelo impeachment de Dilma Rousseff. "Ninguém espere de Michel e de mim um golpe. Não seremos parceiros de golpe nenhum, nunca", disse. Na sequência, Padilha tentou explicar o que era até então o silêncio de Temer diante do impeachment. Segundo o ex-ministro, o PMDB estava dividido sobre o apoio ou não a Dilma, e Temer, como presidente do partido, deveria "recolher o sentimento do partido antes de se posicionar". A impressão deixada pela frase era de que, caso o PMDB decidisse romper com o governo e abandonar o PT, Temer o faria.

A impressão foi reforçada naquela noite. O vice havia escrito uma carta para a presidente, no mesmo dia em que visitou a Federação do Comércio de São Paulo para falar da "ponte para o futuro" e de suas ideias para o país. O texto, elaborado com a ajuda de Moreira Franco, foi enviado por e-mail para sua equipe em Brasília, onde sua chefe de gabinete, Nara Vieira, imprimiu, colocou num envelope, lacrou e entregou para Álvaro Baggio, o chefe de gabinete de Dilma. No final da tarde, a presidente recebeu a carta e mostrou-a aos ministros Jaques Wagner e Ricardo Berzoini, e depois para o ministro José Eduardo Cardozo. A reação foi unânime: aquele texto era um tanto estranho.

Em 11 tópicos distribuídos em três páginas, Temer fez um inventário de sua relação com Dilma e com o governo. Reclamou do desprestígio com que tinha sido tratado. Despejou ressentimentos de varejo, como o dia em que a presidente esteve com o vice-presidente dos Estados Unidos, Joe Biden, e quebrou o protocolo ao não levá-lo para o encontro. A carta era um pote até aqui de mágoa: dizia ser um "vice decorativo" e ter perdido "todo o protagonismo político" durante o primeiro mandato de Dilma. Afirmava ainda que trabalhou a favor do governo, mas recebeu em troca "desconfiança e menosprezo" e que só estava sendo chamado "para resolver as votações do PMDB e as crises políticas". O início da carta era sugestivo: como bom advogado, Temer recorreu ao latim *Verba volant, scripta manent*. Ou seja, as palavras voam, a escrita fica. Na maledicência de Brasília, combinada com o humor propagado no Palácio do Planalto, espalhou-se a piada de que uma carta do presidente do PMDB só poderia começar com a palavra "verba".

A presidente recebeu a carta às 17h34. Às 19h10, o jornalista Ricardo Noblat, uma das vozes ácidas e críticas ao governo, disparou no Twitter: "Sugestão p/ Temer: mande uma carta p/ Dilma explicando sua posição em relação ao momento. Assim não precisará encontrá-la tão cedo." Às 19h33, Noblat cravou: "Temer mandou entregar uma carta a Dilma." O jornalista dizia ainda que o vice acabara de decolar para Brasília. Em poucos minutos, uma enxurrada de repórteres ligava para o Palácio do Planalto: eles tentavam confirmar se aquilo fazia mesmo sentido. Ministros confirmaram a existência da carta e deram a entender que se tratava de um rompimento explícito. A versão do rompimento chegou à TV, e Temer não gostou. Resolveu ligar diretamente para alguns dos jornalistas para confirmar a existência da carta e dizer que não significava um rompimento com a presidente.

Paralelamente, pelo Twitter, a assessoria de imprensa de Temer negou que a carta significasse o seu desembarque do governo. "Ele rememorou fatos ocorridos nestes últimos cinco anos, mas somente pela ótica do debate da confiança que deve permear a relação entre agentes públicos responsáveis pelo país", disse a assessoria. "Não propôs rompimento entre partidos ou com o governo. Exortou, pelo contrário, a reunificação do país, como já o tem feito em pronunciamentos anteriores."

Ao jornal *O Estado de S. Paulo*, um aliado de Temer teria sublinhado o fato de que a presidente recebeu a carta às 17h34 e, às 20 horas, quando o peemedebista desembarcou em Brasília, partes do documento já haviam se tornado públicas. Disse que a divulgação foi "mais um ato de desconsideração", um gesto de "deseducação política". A fonte, não creditada na reportagem do *Estadão*, atacou a presidente: "Ela quis humilhá-lo. A carta revela a forma do PT de governar. Carta entre vice e presidente não se vaza."

Incomodado com a versão difundida no Palácio do Planalto, o próprio Temer divulgou a íntegra para o jornalista Jorge Bastos Moreno – também do jornal *O Globo*, como Noblat. Naquela noite, o vice culparia insistentemente o Planalto por ter começado a guerra de versões. "Nós tivemos de vazar a íntegra porque vocês vazaram trechos que davam interpretação errada sobre um rompimento", disse Temer ao advogado-geral da União, Luís Inácio Adams, num encontro no Palácio do Jaburu. Adams retrucou: o vazamento poderia ter sido deflagrado por alguém da equipe do próprio Temer. "Prove que eu demito", respondeu o vice.

Em entrevista a Moreno, publicada ainda naquela noite, Temer explicitou mais o desconforto: "Escrevi uma carta confidencial e pessoal à presidente", disse. "Mais uma vez avaliei mal. Desembarquei em Brasília agora à noite e me surpreendi com o fato gravíssimo de o Palácio ter divulgado." Temer também criticou os ministros Edinho Silva e Jaques Wagner por atribuírem a ele "versões equivocadas" do último encontro entre ele e Dilma. "Eu havia sido comunicado pelo Eduardo Cunha que ele acolheria o pedido de impeachment. Reconheci seu direito de fazê-lo e depois o ministro Jaques Wagner colocou na minha boca a afirmação de que a decisão não tinha lastro jurídico", disse Temer. "Constrangido, tive que desmenti-lo. O acolhimento tem, sim, lastro jurídico."

A equipe de assessores de Michel Temer foi mais ágil e eficiente do que nós, assessores da presidente Dilma. Eles trataram imediatamente de acusar o Palácio do Planalto de divulgar trechos da carta, acusação que ficou sem resposta formal. Eles lançaram suspeitas especialmente sobre Anderson Dornelles, o secretário particular da presidente. Gaúcho, na época da polêmica com 36 anos, Anderson conheceu Dilma quando tinha apenas 13. Era office-boy da Fundação Economia e Estatística do Rio Grande do Sul, comandada à época por Dilma. Os dois tinham uma relação maternal, embora difícil. Ele recebia o afeto da presidente com a mesma intensidade das suas broncas. Não havia ninguém tão perto do poder quanto ele e também poucos sofriam tanto quanto ele no governo. Era o portador do telefone presidencial. Atendia às ligações, inclusive dos ministros, antes de repassá-los a Dilma. Recebia – e lia – os e-mails. A outros assessores era o mais útil de todos: ele ajudava a sentir a temperatura da chefe para encontrar o melhor momento de alguma abordagem. Oferecia sutis sugestões para fazer ou deixar de fazer algo. Os mais prudentes seguiam fielmente suas recomendações.

Foi essa proximidade provavelmente o principal motivo de Anderson Meirelles ter sido citado pela assessoria do vice-presidente. A sua amizade com um repórter da GloboNews, que também foi um dos primeiros a divulgar a existência da carta, ajudou a alimentar as especulações em torno do seu nome. (Anderson acabou deixando o governo em fevereiro de 2016: no mês seguinte casaria em Bento Gonçalves, no Rio Grande do Sul. Mas também emergiu a informação de que seria sócio de um bar dentro do estádio Beira-Rio, arena reformada pela Andrade Gutierrez, investigada pela Operação Lava Jato por suspeitas de corrupção em empreendimentos da Copa do Mundo de 2014.)

Nem jornalistas, nem assessores do Palácio do Planalto, nem aliados do vice-presidente sabem até hoje ao certo qual dos dois lados vazou primeiro e o que exatamente cada um deles vazou. Cada um tem seu palpite. Aos auxiliares da presidente coube oferecer os argumentos favoráveis a ela. Via-se, por exemplo, com muita desconfiança os passos aparentemente calculados em torno da divulgação: primeiro o alerta de Noblat, a divulgação a conta-gotas e a rapidez com que a íntegra da carta se tornou pública. Tudo parecia executado com um roteiro previamente traçado.

Outro dos argumentos: Ricardo Noblat estava longe de parecer ter fontes no Palácio do Planalto com proximidade o suficiente da presidente Dilma. O mesmo não se poderia dizer de Moreno, é verdade, jornalista igualmente experiente e com ótimo trânsito tanto na equipe da presidente Dilma quanto diretamente com o vice-presidente. Mas quanto a Moreno, o próprio Temer tratou de declarar-se a fonte da divulgação da íntegra do texto. Também não faria sentido para Dilma tonar pública a distância entre ela e seu vice, justamente num momento em que tentava, a todo custo, promover uma declaração de apoio contra o impeachment. Dilma havia cobrado lealdade ao vice, tema tratado na carta: "Desde logo lhe digo que não é preciso alardear publicamente a necessidade da minha lealdade. Tenho-a revelado ao longo destes cinco anos", escreveu o vice.

Do outro lado do embate de versões, ouviu-se que a carta apequenava Temer e que, portanto, ele não teria interesse na sua divulgação. Contra essa ideia, há dois outros argumentos: primeiro, o vazamento lhe foi bastante oportuno, afinal deixou claro que o vice-presidente não fazia mais parte de um governo que parecia prestes a ser destituído. Segundo, a ideia de que o vice se apequenava com a carta se deu apenas posteriormente, com a reação constatada nas redes sociais. Antes, não.

A carta virou chacota generalizada em poucas horas. Com ela, Temer posou diante do país todo como "menino grande", "adolescente inseguro", "político imaturo", "vice golpista", "conspirador" e outros atributos nada edificantes. Assim ele foi chamado nos minutos, horas e dias que se sucederam ao episódio. Logo começaram a aparecer diversos apelidos e uma chuva de tweets, milhares deles fazendo piada com o caso. Muitos internautas enxergavam no episódio um verdadeiro "mimimi vice-presidencial". As hashtags #chateado e #cartadotemer se espalharam implacavelmente nas redes sociais, com expressões ou frases ácidas espezinhando Temer. Teve de tudo: Dilma com Chico Buarque e a frase de legenda "A senhora nunca me chamou para conversar com o Chico Buarque". Uma foto de árvore de Natal com imagens de Michel Temer e o texto: "Enfeite sua árvore de natal com Vice Decorativo." Entre os memes, houve comparações com Frank Underwood, o político inescrupuloso que faz de tudo para chegar à Presidência dos Estados Unidos na série *House of Cards*. Apesar das piadas, a carta rendeu pelo menos um fruto ao vice: Joe Biden o convidou para uma visita aos Estados Unidos.

Também citado na carta, o líder do PMDB na Câmara, o deputado do Rio de Janeiro Leonardo Picciani, disse estranhar a queixa de Temer: "Se ele se julgava um vice decorativo nos quatro primeiros anos, por que depois conduziu o partido, mesmo rachado, a permanecer na aliança? Se ele se sentia um vice decorativo por que continuar dessa forma na chapa presidencial do PT? Não fui eu quem foi procurar a presidente. Não fui eu quem foi pedir nada. Ela ofereceu e eu apenas cumpri o papel de líder transmitindo à bancada os convites que foram feitos. E decidimos após consultar a maioria. Em momento nenhum eu pedi que substituíssem os aliados dele por membros da bancada." Em entrevista ao jornal *O Dia*, o governador do Rio, Luiz Fernando Pezão, declarou que Temer deveria "ser mais incisivo na defesa do mandato dos dois". Disse o governador:

"Adoro o Michel, mas não estou achando legal a postura dele nessa questão. Sinceramente, esse trabalho do Moreira Franco e do Eliseu Padilha não ajuda em nada o país. Vice é para ter atribuições, para ajudar na governabilidade. Não é para conspirar."

Para Dilma, a máscara do conspirador começava ali a ser retirada da face do vice-presidente. Sacramentava-se a desconfiança da presidente, nascida especialmente desde que, em agosto, ele dissera ser necessário buscar "alguém" capaz de "reunificar a todos". Depois da carta, a desconfiança avançava três páginas. Dizer que aquela era uma carta de rompimento parecia pouco. Com ela, Temer se pintou para a guerra, tornou-se o principal estímulo ao impeachment da presidente, ao lado do deputado e aliado Eduardo Cunha, e proclamou a condição de pretendente à cadeira de Dilma Rousseff. Fez tudo isso e mesmo assim saiu pequeno do episódio, como a presidente avaliaria mais tarde.

Mas ela não foi a única a achar que o vice-presidente se apequenou ali. "Além de alimentar a fábrica de piadas da internet, a carta de Michel Temer a Dilma Rousseff mostrou o nível rasteiro em que se discute o futuro da República", escreveu o colunista Bernardo Mello Franco, da *Folha de S.Paulo*. "Das 883 palavras do documento, nenhuma trata dos problemas graves que o país enfrenta. Na maior parte do texto, o vice-presidente se limita a remover mágoas pessoais e reivindicar cargos perdidos por aliados." Segundo Mello Franco, as lamúrias de Temer não combinavam com a imagem de estadista que ele tentava projetar: "Suas queixas soam pequenas demais para quem busca se credenciar como um líder maduro e capaz de tirar o país da crise." Em contrapartida, o colunista sublinhava o fato de que a carta também servia para ressaltar o que ele considerava um grave defeito da presidente: o mau costume de destratar aliados e desprezar a tarefa de cultivar amizades no Congresso. Um comportamento que "pode cobrar um preço alto na votação do impeachment".

Mas havia algo mais do que o estremecimento com um vice-presidente que preferia manter distante. Dilma ficou assustada com os termos usados por Temer, mas achou ser importante tentar trazê-lo de volta para onde ele sempre esteve, na posição de vice-presidente. Era melhor que um vice em quem não confiava estivesse por perto do que completamente distante, onde estaria livre para trabalhar abertamente pelo impeachment. Como escreveu o jornalista Elio Gaspari, em sua coluna nos jornais *O Globo* e *Folha de S.Paulo*, já houve caso de vice-presidente (Aureliano Chaves) que, conversando com outra pessoa (o general Ivan Mendes), ameaçou meter a mão na cara do titular (João Baptista Figueiredo). Mas carta como a de Temer era coisa nunca vista.

Com o aval da presidente, o ministro Jaques Wagner telefonou para Rodrigo Rocha Loures, assessor do vice-presidente, e propôs uma reunião entre Dilma e Temer. Ideia acatada, o encontro ocorreu no início da noite de quarta-feira, 9 de dezembro, dois dias depois da divulgação da carta. O objetivo da reunião, na concepção do Palácio do Planalto, era sair de uma possível armadilha concebida pelo vice: romper com a presidente e fazer com que o rompimento partisse dela, não dele.

O encontro durou cerca de 50 minutos. Temer reafirmou os pontos de sua insatisfação e lamentou o vazamento – ele não disse pessoalmente para a presidente, mas continuava achando que havia partido de alguém próximo a Dilma. Ela reconheceu erros no passado. "Vou trabalhar para não repeti-los", disse-lhe. Não bastava a reunião ocorrer, era preciso transmitir uma mensagem de que haviam aparado as arestas e a vida poderia seguir em frente, cada um no seu papel. Tratava-se de um acordo de convivência institucional. Combinou-se que ambos dariam declarações naquela mesma noite. Temer falaria ao retornar ao seu gabinete. Dilma emitiria uma nota à imprensa.

Como aquela conversa não sanava o essencial (a desconfiança), depois que o vice saiu do Palácio do Planalto combinou-se internamente uma estratégia: daríamos um jeito de gravar a declaração dele e só aí produziríamos a nota da presidente. Assim foi feito. Um jornalista da Secretaria de Imprensa acompanhou, como repórter, a entrevista que o vice-presidente deu aos repórteres que o esperavam. Foi uma fala curta e protocolar: "Combinamos, eu e a presidente Dilma, que nós teremos uma relação pessoal, institucional, que seja a mais fértil possível." O jornalista enviou a gravação, devidamente repassada à presidente, a Gilles Azevedo e aos ministros Edinho Silva, Ricardo Berzoini e Jaques Wagner. A nota, claro, passou pelo crivo de Dilma palavra por palavra. Seguia o mesmo tom protocolar da declaração de Temer: "Na nossa conversa, eu e o vice-presidente Michel Temer decidimos que teremos uma relação extremamente profícua, tanto pessoal quanto institucionalmente, sempre considerando os maiores interesses do país."

Temer passaria os dias seguintes se explicando sobre a carta e, em especial, sobre o estilo do texto – a "página constrangedora de correio sentimental", conforme definição do editorial que a *Folha* publicou dois dias depois. Em sua defesa, Temer argumentou que não teria escrito algo na linha do desabafo, em tom tão pessoal, se soubesse que a carta se tornaria pública. Faria algo mais político, mais refinado. Por outro lado, Míriam Leitão e Merval Pereira no jornal *O Globo*, e Dora Kramer e Eliane Cantanhêde no *Estadão* criticaram duramente o governo.

Capítulo 16

MUDAR PARA CONTINUAR

A saída não poderia ser diferente, no estilo dos rodopios, idas, vindas e tensões que marcaram as decisões econômicas daquele segundo mandato da presidente Dilma Rousseff. Era uma quinta-feira, dia 17 de dezembro, quando ela participava da inauguração na praça Mauá, zona portuária do Rio, do Museu do Amanhã – a exuberante obra assinada pelo arquiteto espanhol Santiago Calatrava. Enquanto Dilma passeava pelos espaços de exposição e ouvia do curador Luiz Alberto Oliveira os detalhes da concepção do museu, de Brasília chegava o telefonema do jornalista Valdo Cruz, da *Folha de S.Paulo*. "Joaquim Levy acaba de se demitir em plena reunião do CMN!", disse, entre espantado e ansioso. Ele se referia ao Conselho Monetário Nacional, composto pelo ministro da Fazenda (o presidente do órgão), o ministro do Planejamento e o presidente do Banco Central. Mensalmente, os três se reuniam, acompanhados de secretários dos ministérios, diretores do banco e assessores, para definir políticas de moeda e de crédito. Pelas regras que regem o CMN, são encontros fechados. O que é discutido fica restrito à reunião. Somente o que for decidido deve ser divulgado, por meio de nota ou entrevista.

"Levy acaba de se despedir e dizer que foi sua última reunião. A presidente sabe disso?", emendou o repórter da *Folha*. Eu não sabia se a presidente sabia e, embora recebesse aquela informação com desconfiança, era preciso falar com ela imediatamente – ainda que estivesse rodeada de muita gente: o governador Luiz Fernando Pezão, o prefeito Eduardo Paes, secretários estaduais e municipais, o curador e diretores do museu, o presidente da Fundação Roberto Marinho, José Roberto Marinho, assessores e inúmeros papagaios de pirata, como é praxe nessas visitas. A desconfiança se justificava: desde maio, com o episódio da gripe que retirou Levy de um anúncio importante com o colega Nelson Barbosa, e mais ainda a partir de outubro, quando as pressões sobre ele e Dilma cresceram perigosamente, eram quase diários os rumores em torno da saída do ministro da Fazenda.

Não raro era preciso recorrer a colunistas respeitados de jornais ou repórteres de agências como a Broadcast, Valor PRO e Bloomberg – cujas informações entravam direto nas mesas de operação do mercado financeiro – para publicar notas refutando categoricamente os boatos em curso. Era uma maneira de evitar mais desestabilização no governo e frear movimentos especulativos no mercado. Mas ali, em meados de dezembro, a presidente já havia reconhecido, reservadamente, que Levy estava "chegando ao fim da linha". A troca chegaria, mas possivelmente em janeiro, e ocorreria de maneira suave para evitar mais turbulências e lhe assegurar tempo para encontrar um substituto.

"Talvez eu não esteja mais aqui", disse o ministro, numa sala com quase trinta pessoas, ao comunicar a data da reunião seguinte do Conselho Monetário Nacional, no fim de janeiro. Prosseguiu com agradecimentos ao empenho de todos para os avanços promovidos pelo CMN ao longo de 2015. O tom era de evidente despedida. Ninguém estranharia se, na verdade, Levy quisesse o vazamento daquela informação, por falar tão sem reservas para tanta gente. Vazou. Depois de Valdo Cruz, começou a sucessão inesgotável de telefonemas e mensagens de repórteres de Brasília e São Paulo. Aproveitei um breve espaço de tempo em que a presidente não conversava com ninguém, e falei-lhe ao ouvido, baixinho, para não ser ouvido por Paes e Pezão, que estavam ao nosso lado. "Preciso lhe contar algo sobre o Joaquim", disse-lhe. "Ok", respondeu, laconicamente, prosseguindo a caminhada pelo museu.

A cerimônia de inauguração ocorria no auditório, um espaço destinado a quatrocentas pessoas, naquele momento lotado para ouvir os discursos. Sentada no centro do palco, ela passou um recado por meio do embaixador Renato Mosca, o chefe do Cerimonial da Presidência. De lá (!), Dilma queria saber o que exatamente ocorrera com Joaquim Levy. Mosca voltou com a descrição completa do episódio, àquela altura já espalhado pelos sites. A presidente balançou a cabeça em sinal de reprovação e sorriu para mim como quem pergunta: "O que posso fazer?!"

Nada e tudo ao mesmo tempo. Se, de fato, não conseguiria fazer o ministro da Fazenda não dizer o que disse, ela poderia antecipar o processo que Levy acabava de deflagrar. "Levy dá adeus a colegas; governo apressa escolha do substituto", era uma das manchetes de destaque da *Folha de S.Paulo* na edição do dia seguinte. O texto informava que a presidente acelerava ali a escolha do sucessor do ministro da Fazenda: "Pode anunciá-lo hoje ou no máximo na próxima semana." *O Globo*, *Valor* e *Estadão* seguiam a mesma toada do que já havia ocupado as manchetes nas edições on-line de quinta--feira: Levy se despedira e sua saída era iminente. Diziam ainda que o ministro se esquivara após a divulgação da despedida: "Não confirmo nada. O que é dito no CMN não pode sair de lá", disse à repórter Leandra Peres, do *Valor*, e a Valdo Cruz, da *Folha*. Revelar o que foi dito ali, argumentou, significaria cometer uma "infração funcional", e, por isso, não poderia "nem confirmar nem desmentir" o teor de suas declarações. Naquela noite, disse a auxiliares que estava contrariado com o vazamento da informação, mas considerava concluída sua missão no governo. O fim do ano legislativo abria opções para ele e a presidente, a fim de definirem o momento de saída. De preferência na virada do ano.

Na manhã da sexta-feira, dia 18 de dezembro, já em Brasília, foi possível anotar no *briefing* matinal para a presidente o discurso duplo do ministro. Os jornais *O Globo* e *O Estado de S. Paulo* publicaram entrevistas com ele, ambas em tom dissonante. Ao primeiro, Levy falava em permanência, condicionando-a no entanto à disposição do governo em seguir adiante em reformas. Ao *Estadão*, o tom de saída era mais evidente, e Levy ainda fazia críticas duras ao governo. Em comum às duas entrevistas, o roteiro de quem estava deixando o governo sob a crítica de que só pensava no ajuste fiscal: "Nunca entendi por que o governo só fala de ajuste fiscal. Desde que entrei, até antes, sempre falei de um conjunto de reformas para mudar a economia."

A linha que o ministro deu ao jornal *O Globo* era a mesma repassada, nos dias anteriores, por um dos seus interlocutores mais próximos: o ministro ficaria, se recebesse da presidente um bastão de apoio, confiança e liberdade para tocar o que ele achava que precisava ser tocado. Às vezes o próprio Levy ligava para comentar alguma reportagem de bastidor cuja origem eram "fontes do Palácio do Planalto", e fazia isso como quem espera alguma luz sobre quem poderia ter vazado informações ou futricas contra ele – referia-se com frequência ao "folhetim de Brasília", de que a imprensa tanto gostava. Até a véspera, esses telefonemas exibiam argumentação e esforço típicos de quem desejava ficar – daí a surpresa diante do que exibiu na reunião do Conselho Monetário Nacional e na entrevista ao *Estadão*.

Mas a presidente não tinha mais o que fazer. Era inevitável, de fato, antecipar a escolha e anunciar o quanto antes o nome do novo ministro da Fazenda. Na segunda-feira anterior, o ministro Jaques Wagner fizera, a pedido de Dilma, uma viagem reservadíssima a São Paulo. Ali teve conversas sobre macroeconomia e o que fazer para tirar o país da recessão. Ouviu ideias de caminho a seguir e sugestões de nomes a escolher. Na bolsa de apostas e especulações, sobravam nomes. Na prática, os nomes minguavam.

A sexta-feira prometia ser de fortes emoções e enorme tensão na política e na economia. Promessa cumprida: o Brasil amanheceu com um ministro demissionário e sem substituto anunciado, a bolsa caiu quase 3%, atingindo a menor pontuação desde abril de 2009, e o dólar subiu a quase R$ 4.

Ironicamente, naquele dia Joaquim Levy tinha um café da manhã agendado com os jornalistas que cobriam o Ministério da Fazenda. A caminho do encontro, telefonou. "O que você acha que devo dizer no café? O que posso fazer por vocês?", perguntou, como quem reconhece a responsabilidade de quem sai e também a de quem fica. "Lembre-se de que temos uma crise para solucionar e um país para governar", foi minha frase banal, como quem lhe pede para não sair atirando. "Quanto mais puder preservar a presidente e o governo, melhor", emendei.

Era uma sugestão desnecessária. Apesar de muitas vezes dar declarações ou negociar uma ideia contrária ao que Dilma desejava, Levy jamais chegou perto da figura de um incendiário. Ele errara, claro, como ela também, mas jamais pensando em desestabilizar o governo. Gostava e admirava a chefe que tinha e, mais do que isso, exibia um incomum e notável sentido de missão pública. A propósito, corria a lenda segundo a qual, anos antes, foi visto bastante amuado nos corredores do Ministério da Fazenda: o interlocutor se espantou, afinal ele estava deixando o posto de secretário do Tesouro para assumir um cargo importante no Bradesco, onde iria dirigir a gestora de investimentos do banco. Questionado sobre as razões de estar jururu, mesmo sabendo que ganharia o salário da felicidade, Levy teria respondido: "Meu medo é morrer de tédio por lá." Era um exemplo do que gostava de fato: dedicar-se ao serviço público.

Em certa noite, já com hora avançada de domingo, ele e técnicos da Casa Civil, do Planejamento e da Fazenda discutiam com a presidente detalhes de uma apresentação a ser feita no dia seguinte. Enquanto todos pareciam exaustos e contavam os segundos para ir embora, Levy os exasperava com mais um questionamento. E outro e outro e outro. Não exibia cansaço nem pressa para acabar enquanto todos os detalhes não estivessem esgotados. "Ele é sempre assim?", perguntou a presidente para um auxiliar do ministro. Ao ouvir "todos os dias e todas as noites", ela disse: "É por isso que o admiro."

Eis algumas das simbioses dos dois, capaz de garantir-lhes admiração mútua: tanto Dilma quanto Joaquim eram centralizadores, tinham um gosto especial pelos detalhes ("ele vai até a nona casa decimal", definiu um dos seus secretários), pareciam incansáveis diante de uma missão a cumprir, dedicavam-se à gestão com um forte sentido de missão pública e jamais toleravam superficialidades de assessores – refutavam duramente embromações e exercícios retóricos de auxiliares para esconder uma informação incompleta. Enquanto ministros experientes e tarimbados tremiam diante da presidente, secretários esmoreciam frente ao ministro.

Mas a hora de encerrar aquele capítulo, enfim, chegara.

Com uma sucessão de contorcionismos retóricos, Joaquim Levy protagonizou incríveis proezas no café da manhã daquela sexta-feira, dia 18 de dezembro. Deixou claro que estava de saída, sem dizê-lo. Criticou a presidente, defendendo-a. Argumentou em favor de um determinado perfil para seu substituto, sem admitir que em poucas horas não seria mais ministro. "A gente [ele e Dilma] tem conversado", afirmou o ministro no café da manhã. "O ano legislativo se encerrou e isso abre umas tantas alternativas", sugeriu. Pregou um perfil "técnico e arrojado" para um novo ministro da Fazenda. Disse que seu objetivo não era "criar constrangimento ao governo", mas lhe parecia importante "saber quais são as prioridades, até em função das diversas demandas sobre a presidente e qualquer caminho é em função disso", frase interpretada pelos jornalistas como uma referência ao processo de impeachment, considerado uma prioridade no Palácio do Planalto e que teria ajudado na decisão presidencial para a redução da meta fiscal e manutenção do Bolsa Família.

Dias antes, Levy havia aprontado para cima do Palácio do Planalto. Disse que o governo não podia usar o Bolsa Família para evitar cortes de gastos, declaração que irritou a presidente. Na quarta-feira, 16 de dezembro, amanheceu irritado com a insistência do noticiário em decretar a certeza de sua saída. "Eu continuo alheio a este folhetim de Brasília e sigo minha agenda normal de trabalho", desabafou. Seguiu e foi trabalhar com a oposição para derrotar o próprio governo: Levy não se conformava com a decisão da presidente de acolher uma proposta do ministro do Planejamento, Nelson Barbosa, de reduzir a meta de superávit primário de 0,7% para 0,5% do PIB no Orçamento de 2016, com um mecanismo que permitiria ao governo abater até R$ 30 bilhões de investimentos – na prática, significaria poder reduzir a meta para zero. Com a vitória da oposição e a ajuda do próprio ministro da Fazenda, a interpretação generalizada no Palácio do Planalto era de que Levy atuara como se não fosse do governo. Muitos ali o enxergavam como inflexível, cabeça-dura e fiscalista em excesso, mesmo diante de um governo que, segundo tal diagnóstico, precisava gastar mais para conseguir aumentar sua popularidade. A certa altura, o ministro Jaques Wagner se impacientou com ele: "Sei que a coisa está difícil para o seu lado, mas para ela está muito mais. Então precisamos que você ajude também."

Foram meses apanhando feio e ouvindo fofocas e especulações por todos os lados. O PT, como se viu nos primeiros capítulos, foi um inimigo constante desde a primeira hora. Os meses de setembro, outubro e novembro pareceram especialmente duros para o ministro da Fazenda e, por motivos óbvios, também para a presidente Dilma. O dia 16 de outubro mostrou-se particularmente marcante. Haveria uma reunião da Junta Orçamentária, aquela que reunia os ministros da Casa Civil, da Fazenda e do Planejamento. À tarde, começou a circular a enésima especulação: Levy pediria uma reunião com a presidente antes da junta e ali iria pedir demissão. "Agora é para valer", disse-me uma experiente repórter com trânsito na área econômica. Novamente, muitos telefonemas e projeções sobre sua saída. Um dia antes a agência de classificação de risco Fitch havia abaixado a nota de crédito do Brasil e colocado o *rating* brasileiro sob perspectiva negativa. O país ainda mantinha o seu grau de investimento segundo a agência (a Standard & Poor's havia tirado o selo de bom pagador no mês anterior), mas a nota poderia sofrer novo corte assim que a agência revisasse a avaliação. A tensão dupla – na quinta com a Fitch e na sexta com o boato de que Levy pediria demissão no encontro com Dilma – estimulava o mercado: a bolsa caía, o dólar subia.

Não adiantava insistir para os jornalistas que aquela era apenas mais uma das especulações a que havíamos assistido antes. Ninguém, porém, parecia querer acreditar. Estava sacramentado: Levy sairia. Havia dois problemas graves: de um lado, um mercado financeiro estremecido e volátil, com quedas sucessivas na bolsa e frequentes mudanças na cotação do dólar diante do real, coisas que costumam afetar o governo, as empresas e a população.

De outro lado, o fator político: a instabilidade econômica era irmã siamesa da instabilidade política. Turbulências em torno do ministro da Fazenda significavam mais fragilidade na economia e um enorme impacto sobre a sustentação do governo no Congresso. E vice-versa. Era importante transmitir uma mensagem de calma tanto para o mercado quanto para os políticos, fazendo chegar a um jornalista que tudo não passava de boatos e especulações. "Levy vai se queixar com Dilma, mas permanecerá no cargo", publicou a colunista Monica Bergamo no site da *Folha de S.Paulo* por volta das 16h30, no momento em que a reunião começava no Palácio da Alvorada. "O ministro não vai pedir demissão nem ser demitido", cravou.

Encerrada a reunião, a informação da colunista se confirmou. O alvoroço do dia chegava ao fim. Monica continuaria a nota anterior numa versão de texto mais completa: "A conversa de Levy e Dilma foi rápida, segundo testemunhas. O ministro, apesar de chateado, fica no cargo e não teria sequer ameaçado pedir demissão." Naqueles dias, o ministro se dizia sozinho e isolado, era o único no governo a defender a volta da CPMF para aliviar o buraco nas contas públicas e reclamava que o tiroteio estava pesado demais. Mas a tal "reunião a sós" nem sequer existiu. Ele e Dilma apenas trocaram breves palavras num dos corredores do Alvorada, a caminho da reunião da Junta Orçamentária. Nem chegaram próximos de falar em demissão. "Eu vou defender a CPMF", assegurou-lhe Dilma.

"Em apenas nove meses no cargo, o ministro passara de todo-poderoso a sobrevivente", escreveria mais tarde a repórter Malu Gaspar, da revista *Piauí*, numa referência ao encontro, em reportagem sobre as ameaças de demissão do ex-homem forte da economia. Em "A morte e a morte de Joaquim Levy", Malu afirmou que o ministro chegou a escrever duas cartas de demissão, nunca entregues. "Queria mesmo era ficar", sublinhou no texto. Levy nunca admitiu a existência das tais cartas de demissão que teria escrito. Negou-as e ficou muito chateado com a repórter depois da publicação da reportagem. Malu Gaspar sustentou o que publicou, para irritação do ministro.

Dois dias depois da reunião em que pediria demissão mas não pediu, o PT voltou a usar suas armas contra Levy. O presidente do partido, Rui Falcão, deu uma entrevista à *Folha de S.Paulo*, publicada no domingo, 18 de outubro: "Levy deve sair se não quiser mudar a política econômica." Poucos duvidavam que o dirigente emitisse uma opinião assim sem a chancela prévia do ex-presidente Lula. "Acho que ela [a presidente] vai determinar a liberação de crédito com responsabilidade. Se o Levy não quiser seguir a orientação da presidente, deve ser substituído", insistiu Falcão, referindo-se a uma demanda constante do PT, segundo a qual o governo deveria tirar o pé do freio e abrir linhas de crédito para estimular a economia. O Brasil, pensava o partido, precisava de menos ajuste fiscal.

"O partido está caminhando para um autogolpe", concluiu em seu blog o jornalista Ricardo Kotscho, secretário de Imprensa da Presidência durante os primeiros anos de mandato de Lula, "pois isto certamente não ajuda a presidente Dilma Rousseff a superar as imensas dificuldades que vem enfrentando para vencer a crise político-econômica do seu segundo mandato. Ao contrário, as declarações de Falcão se destinam a aprofundá-la ainda mais". Ao comentar a entrevista, Kotscho ressaltava que, "mesmo quem não tem nenhum outro motivo para defender o ministro da Fazenda, sabe que a sua permanência no posto neste momento é imprescindível para garantir o mínimo que resta da estabilidade". Para ele, nenhum líder da oposição havia tido a capacidade de provocar tantos estragos à já precária estabilidade do governo quanto o próprio PT.

Dilma precisou reagir. Ela estava em Estocolmo, na Suécia, para onde havia ido na noite de sexta-feira, após a reunião no Alvorada. Usou uma entrevista coletiva após sair de um encontro com o rei Carlos Gustavo XVI e a rainha Sílvia para dizer que Joaquim Levy ficava e desautorizar as declarações de Rui Falcão. "A opinião do PT não é a opinião do governo." Na entrevista coletiva, ao todo, os jornalistas perguntaram seis vezes sobre Levy. Na última vez, a presidente respondeu enfaticamente: "Vocês podem especular à vontade. Só que quando eu digo que não, não adianta. É não." Voltando da Suécia, Dilma procurou o ex-presidente Lula e pediu que o partido freasse as críticas ao seu ministro. Nas hostes petistas, a presidente sempre foi vista como forasteira – fez sua trajetória no PDT de Leonel Brizola e era atacada por agir de maneira excessivamente independente, e não em nome do projeto do partido.

Falando à sua plateia num encontro do Diretório do PT, duas semanas depois do pedido de Dilma, Lula afirmou que "ninguém aguenta" passar mais seis meses discutindo ajuste fiscal, mas deu o recado: era preciso reduzir o bombardeio sobre Levy. "Vocês agora falam 'Fora Levy' como já falaram 'Fora Palocci", lembrou o ex-presidente, numa referência a Antonio Palocci, o ministro da Fazenda entre 2003 e 2006. "Mas ninguém quer arrumar a economia mais rápido do que a Dilma. A única condição de a gente voltar a ter o prestígio que o PT já teve é recuperando a economia." Ao seu estilo, Lula recuava sem recuar. Pedia freio aos petistas, sem dizer algo contrário ao que eles gostariam de ouvir.

A presidente ainda assistiu, naquele momento, a uma das maiores campanhas a favor de um nome para o ministério: Henrique Meirelles, presidente do Banco Central durante os oito anos de governo Lula e aquele que se tornaria o homem forte da economia com a chegada de Michel Temer ao poder. Meirelles era o nome preferido do ex-presidente Lula para substituir Levy. E diariamente se enxergava no noticiário as digitais tanto do PT quanto do próprio candidato a ministro. O jornal *Valor Econômico*, historicamente equilibrado e sensato na cobertura política e econômica, embarcou fielmente na campanha de Meirelles e do PT. No argumento das matérias publicadas na época, Meirelles seria um ministro forte ligado a Lula, como gostariam os petistas.

"Só a entrada de Meirelles resolveria metade dos problemas de Dilma, segundo fontes do PT, pois sinalizaria aos mercados que o intervencionismo da presidente é coisa do passado. Questão de confiança e credibilidade", escreveu o colunista Raymundo Costa, na primeira semana de outubro. Foi um dos primeiros ataques diretos naquele mês. Pouco a pouco, iam crescendo a intensidade e as certezas em torno de Meirelles. Nos primeiros dias de novembro, uma reportagem do jornal informava que, semanas antes, Dilma ainda resistia ao nome do ex-presidente do Banco Central, mas, nos últimos dias, reduzira consideravelmente o bloqueio a Meirelles. No auge da campanha, repórteres de política do *Valor* cravaram o improvável: Dilma e Lula haviam conversado e fechado questão. Segundo o outrora comedido, mas naquele momento enfático, *Valor*, Henrique Meirelles seria o novo ministro da Fazenda.

Difícil lembrar um momento em que um jornal econômico embarcou numa campanha daquela natureza. Veículos especializados em economia costumam ser sóbrios e buscam muito mais a imparcialidade do que os veículos generalistas. Sabem dos riscos que uma aposta malfeita ou uma notícia dada como certa com base em especulações podem causar para o mercado financeiro e empresas. O *Valor* era um exemplo de qualidade, competência e credibilidade tanto por seguir essa tendência quanto pela qualidade dos seus repórteres e editores. Mas ali fugiu do seu padrão habitual. Meirelles não se tornou ministro da Fazenda de Dilma, com quem travou duros embates quando ambos eram auxiliares do então presidente Lula – ele no Banco Central, ela na Casa Civil. Os dois representavam polos antagônicos dentro do governo, com o estímulo do presidente.

As rusgas deixaram marcas. Além das diferenças do que fazer na economia, havia um motivo pessoal para ela recusar toda a pressão feita em nome de Henrique Meirelles: Dilma jamais perdoaria o ex-presidente do Banco Central pela reação deste quando ela descobriu que tinha câncer, já candidata à Presidência da República em 2010. A então ministra soube que Meirelles aproveitara a notícia para dizer a Lula que se Dilma não se recuperasse, ele estaria ali, com saúde e à disposição para ser o candidato. Em nome da sua vontade incessante de ser presidente da República, Meirelles não foi solidário nem no câncer, ela pensou, num raciocínio que evidentemente nunca externou em público.

Quando a saída de Joaquim Levy, enfim, se confirmou, o mercado financeiro derramou todas as lágrimas possíveis – a bolsa "despencou" e o dólar subiu mais de 1% num só dia. Mas o país parecia cansado daquela novela. Sobretudo os nomes envolvidos. Era hora de virar a página, e Levy teve o substituto anunciado: Nelson Barbosa, a solução "caseira" de Dilma. Ministro do Planejamento que, segundo a imprensa simbolizava o antagonismo a Levy, Barbosa era próximo à presidente, agradava à esquerda e ao PT e inquietava o mercado financeiro. Ao vê-lo anunciado como o novo ministro da Fazenda, depois de tantas notícias de fofocas, confrontos e incompatibilidades entre ele e Joaquim Levy, era possível lembrar o que escrevera o jornalista Luis Nassif, em seu site GGN.

Ao comentar a chegada do novo secretário de Imprensa da Presidência, em setembro de 2015, Nassif mencionou o papel de Rubens Pontes, assessor de imprensa do então presidente Itamar Franco. Uma das missões era reduzir o número de fofocas espalhadas em *off* pela imprensa, envolvendo os ministros Joaquim Levy e Nelson Barbosa. Levy se sentia atacado diariamente por gente do Palácio do Planalto. Por outro lado, ter alguém que se dava bem com ambos significava que não se jogaria um contra o outro. Escreveu Nassif:

> O governo Itamar Franco era uma trapalhada atrás da outra. O bravo ministro Paulo Haddad, da Fazenda, tentava se equilibrar, garantir um mínimo de racionalidade, mas levava tiros diários da tropa itamarina, [Henrique] Hargreaves, Maurício Correa, José de Castro e companhia. Cada

dia era um *off* visando desestabilizar Haddad, repercutidos acriticamente pela mídia, mesmo os mais inverossímeis. Haddad conseguiu se manter no nevoeiro graças a um filtro potente de seu assessor de imprensa Rubens Pontes. Rubinho criou relações de absoluta confiança com a mídia. Passava informações seguras com discernimento. Quando a maré de futricas chegava na área econômica, bastava ligar para Rubinho para clarear o jogo. A ida de Rodrigo de Almeida para a imprensa do Palácio poderá ter um resultado idêntico. Hoje em dia o Palácio se assemelha a um grupo de náufragos em um barco, cada qual tentando derrubar o companheiro e pretendendo salvar a própria pele. O festival de *offs* tem sido um prato cheio para os especuladores. Hoje em dia, qualquer boato em se plantando dá.

Valia no governo, em síntese, a máxima do primeiro-ministro britânico Winston Churchill: "Não tema a oposição. Tema seus colegas de ministério." Nassif via com esperança a conciliação entre Levy e Barbosa. E concluiu: "Não conseguirá colocar ordem na barafunda de informações que jorra do Palácio, mas pelo menos blindará a área econômica do jogo de intrigas atual." Mas as confusões em que a área econômica se meteu, agravadas em parte pelas decisões da presidente Dilma Rousseff, mostraram o quanto Nassif errou em suas previsões. Infelizmente.

A partir de dezembro de 2015, sem Levy, haveria pelo menos uma vantagem: a imagem de uma equipe econômica em confronto se dissiparia. A unidade seria mais fácil, para o bem e para o mal. Não havia tempo, portanto, para descanso. Uma nova missão para a comunicação do Palácio do Planalto e do novo ministro da Fazenda: modular as expectativas e aplacar as críticas em torno dele. Barbosa assumiria o posto pregando a manutenção do ajuste fiscal e as reformas estruturais defendidas pelo antecessor. Previsibilidade, estabilidade e credibilidade eram suas metas para estancar a desconfiança que lhe rondava. Não teria tempo nem margem de manobra para fazer muita coisa, e ainda levaria pancadas de Lula e do PT, logo insatisfeitos com o que consideravam prudência excessiva do novo ministro.

Capítulo 17

UMA BOMBA CHAMADA DELCÍDIO

O senador Delcídio do Amaral, eleito pelo PT de Mato Grosso do Sul, foi surpreendido na manhã de 25 de novembro de 2015 ao ver cinco agentes da Polícia Federal, um delegado e dois procuradores no quarto de hotel onde morava, às margens do lago Paranoá, em Brasília. Depois de ter seu quarto revistado pelos agentes, ouviu, de pé, a leitura do mandado assinado pelo ministro Teori Zavascki, do Supremo Tribunal Federal, responsável pelos processos da Operação Lava Jato. Delcídio estava sendo preso. "Isso pode ser feito com um senador no exercício do mandato?", perguntou. Sim, podia. Era uma prisão considerada "em flagrante" – única situação prevista no Código Penal em que é possível prender um senador da República. Para a Lava Jato, Delcídio tentava atrapalhar as investigações e ajudar na fuga de um condenado, Nestor Cerveró, ex-diretor da área Internacional da Petrobras.

Levado para a Superintendência da Polícia Federal em Brasília, foi somente ali que entendeu exatamente por que fora preso. Antes de ser conduzido à cela improvisada – a sala do plantão dos delegados – foi autorizado a ver TV. Pela GloboNews soube que uma conversa sua havia sido gravada por Bernardo Cerveró, filho de Nestor Cerveró. Na gravação, o senador dizia fazer lobby no Supremo Tribunal Federal pela libertação do amigo, preso em Curitiba havia dez meses. Fazia algo mais: oferecia alternativas de fuga para o ex-diretor da Petrobras, em troca de ele não aderir ao acordo de colaboração com a Justiça, a chamada delação premiada. Aquilo significaria obstrução de Justiça, a acusação sobre Delcídio a partir daquele momento.

O senador não foi o único preso naquela turbulenta manhã de quarta-feira. O banqueiro André Esteves teve o mesmo destino na mesma hora e sob a mesma acusação. Juntamente com eles, o chefe de gabinete de Delcídio, Diogo Ferreira, e o advogado Edson Ribeiro, que estava nos Estados Unidos e teve seu nome incluído na difusão vermelha da Interpol, uma lista de procurados usada pelas polícias de todo o mundo. Todos foram acusados de montar uma conspiração para sabotar a Lava Jato: buscavam interferir na delação premiada do ex-diretor da Petrobras e ajudá-lo a fugir do país. A prisão de um senador no exercício de mandato e de um banqueiro fez o país esquecer que, na véspera, havia sido preso o empresário José Carlos Bumlai – o "amigo de Lula", como sublinharam todas as manchetes do dia –, acusado de fraude para financiar o PT. A Lava Jato se aproximava como nunca do ex-presidente.

Delcídio era amigo de Bumlai desde pequeno, quando as famílias de ambos frequentavam as fazendas uma da outra, no Pantanal mato-grossense. Também era muito amigo de Nestor Cerveró. Conheciam-se desde a época em que Delcídio era diretor da Petrobras. Corria o segundo mandato do presidente Fernando Henrique Cardoso, e Delcídio comandava a diretoria de gás da estatal. Cerveró era seu número 2. Já no governo Lula, o antigo chefe tornou o amigo diretor da área Internacional da Petrobras, numa indicação avalizada pelo PT. Preso desde janeiro de 2015, Cerveró tentava negociar um acordo de delação premiada que poderia incriminar o senador e o banqueiro. Delcídio fora citado pelo amigo, que o acusou de participar de um esquema de desvio de recursos envolvendo a compra da refinaria de Pasadena, nos Estados Unidos. Começava ali o enredo que os levaria à prisão.

O filho do ex-diretor, Bernardo, que participava ativamente das negociações, começou a desconfiar que o advogado não estava defendendo os interesses de seu pai. O advogado era contra a delação premiada, enquanto Bernardo queria, a qualquer custo, tirar Nestor da prisão. Bernardo simulou então participar de um acerto envolvendo o advogado e o senador, que oferecia uma "ajuda" à família. Ator por profissão, o filho de Cerveró armou a cena. Ligou para o chefe de gabinete de Delcídio, Diogo Ferreira, pedindo uma conversa. O encontro ocorreu no dia 4 de novembro no quarto do hotel onde Bernardo estava hospedado em Brasília. Quatro gravadores estavam escondidos para registrar a conversa com o senador. Ele sabia que, nessas reuniões, a prática é deixar os telefones celulares recolhidos e guardados longe. Um dos gravadores registrou a conversa, que durou uma hora e 34 minutos.

Foi o tempo suficiente para revelar a natureza daquela reunião. O grupo oferecia R$ 50 mil por mês para Nestor Cerveró não fechar delação ou, se fechasse, para não citar os nomes de Delcídio e de André Esteves. E mais R$ 4 milhões seriam repassados por meio do advogado Edson Ribeiro. O banqueiro arcaria com o custo financeiro do acordo. Para completar, prometeu-se fazer pressão no Supremo Tribunal Federal para ajudar a soltar Cerveró. "Edson e Bernardo, eu acho que nós temos que centrar fogo no STF agora", disse Delcídio na conversa. "Eu conversei com o Teori, com o Toffoli, pedi pro Toffoli conversar com Gilmar, o Michel conversou com o Gilmar também, porque o Michel tá muito preocupado com o Zelada, e eu vou conversar com o Gilmar também. Porque o Gilmar, ele oscila muito, uma hora ele tá bem, outra hora ele tá ruim, e eu sou um dos poucos caras...", continuou Delcídio.

Aquela menção aos ministros do STF foi fatal para o senador. Ele citava Teori Zavascki, José Antonio Dias Toffoli e Gilmar Mendes, além do vice-presidente Michel Temer. O Zelada citado era Jorge Luiz Zelada, engenheiro que sucedeu Nestor Cerveró na diretoria Internacional da Petrobras. Delcídio também prometeu falar com o ministro Edson Fachin, relator de um *habeas corpus* que pedia a anulação da delação premiada do também ex-diretor da Petrobras Paulo Roberto Costa. Fachin poderia derrubar várias colaborações de nomes denunciados pela Lava Jato. "O foco é o seguinte: tirar. Agora, a hora que ele sair tem que ir embora mesmo", continuou Delcídio, já falando do plano de fuga de Cerveró. Havia rota definida e avião escolhido: um Falcon 50, com autonomia para fazer um voo direto para a Espanha, sem necessidade de parar para reabastecer. (Cerveró tem dupla cidadania e poderia não ser extraditado. No máximo cumpriria a pena no país europeu.)

Bernardo tinha a prova de que precisava para convencer os procuradores que integravam a força-tarefa da Lava Jato de fechar a delação premiada com o seu pai. Ao final da conversa, ficou combinado que Delcídio buscaria novo contato com André Esteves para combinar o pagamento. A reunião chegou a ser marcada para o dia 19 de novembro, na sede do BTG, o banco de Esteves, no Rio de Janeiro. Bernardo, com medo, não apareceu. Uma semana depois, todos os presentes àquela conversa estariam presos – exceto ele, claro. Sua ação apressou a delação do pai, que teve redução da pena.

O pedido de prisão de Delcídio chegou ao gabinete de Teori Zavascki no dia 22 de novembro. Ele a decretou, mas, diante do peso da decisão, levou o caso para a Segunda Turma de ministros do Supremo avaliar a liminar. Os ministros mantiveram a decisão por unanimidade. Atingidos em cheio pela exibição do senador, eles foram contundentes. Poucas vezes se viu na mais alta Corte do país votos com um tom político tão elevado.

A ministra Cármen Lúcia abriu a série implacável de discursos de magistrados feridos. Numa referência ao mote da campanha que levou o ex-presidente Lula ao Palácio do Planalto em 2002, ela afirmou que com o mensalão o cinismo venceu a esperança, mas apontou que o crime não venceria a Justiça. "A maioria de nós acreditou no mote de que a esperança tinha vencido o medo. Depois, nos deparamos com a ação penal 470 [mensalão], e descobrimos que o cinismo venceu aquela esperança. Agora, parece se constatar que o escárnio venceu o cinismo", afirmou. "Mas o crime não vencerá a justiça, aviso aos navegantes dessas águas turvas. Criminosos não passarão sobre juízes e sobre as novas esperanças do povo brasileiro. Não passarão sobre o Supremo, não passarão sobre a Constituição do Brasil", completou.

Ministro mais antigo do Supremo, Celso de Mello reforçou o discurso. "A imunidade parlamentar não é manto protetor de suposto comportamento criminoso", disse. Falou sobre a captura das instituições e do Estado por organizações criminosas. "É preciso esmagar, é preciso destruir com todo o peso da lei, respeitada a devida garantia constitucional do devido processo, esses agentes criminosos que atentaram contra as leis penais da República e contra o sentimento de moralidade e de decência do povo brasileiro."

Dias Toffoli chamou de falácia a tese de que a Justiça não agia sobre políticos. "Criou-se uma lenda urbana de que o Poder Judiciário e esta Suprema Corte seriam lenientes com a impunidade, que não atuavam contra os agentes políticos e poderosos. Isso é uma lenda urbana e uma falácia", disse. "O que havia era um bloqueio constitucional."

Gilmar Mendes negou que tivesse tratado de Lava Jato com Delcídio, e classificou o caso de situação "grave e rara".

Edson Fachin comentou que considerava lamentável a utilização do nome de ministros do Supremo como tentativa de mostrar influência.

Foi um "deus nos acuda" generalizado. As prisões daquela quarta-feira, 25 de novembro, significavam um abalo sísmico no Supremo (com ministros levados à suspeita de que poderiam ser suscetíveis a lobbies de um senador, por mais bufão que Delcídio soasse na gravação), no Congresso (o senador era bastante querido entre os seus colegas e transitava com desenvoltura entre todos os partidos) e, claro, no governo (tratava-se do seu líder no Senado, um dos principais articuladores do Congresso e nome ativo nas negociações da agenda econômica na Casa).

A presidente Dilma Rousseff pareceu perplexa com a notícia. Gripada, ficaria no Palácio da Alvorada durante a manhã. Todos estavam surpresos e chocados. Jaques Wagner, Ricardo Berzoini e Edinho Silva – os ministros que davam expediente no Palácio – se reuniram no quarto andar. Havia uma questão prática: o posto de líder do governo no Senado. Era preciso encontrar um substituto.

Depois de conversarem com a presidente por telefone, decidiram que o líder do governo no Congresso, o cearense José Pimentel, ficaria à frente das articulações no Legislativo até a escolha do nome. No fim da tarde, se informaria, por meio de uma nota, que o novo líder só seria escolhido na semana seguinte. Até lá, responderiam interinamente pelo cargo os vice--líderes Temário Mota (PDT de Roraima), Wellington Fagundes (PR de Mato Grosso), Paulo Rocha (PT do Pará) e Hélio José (PSD do Distrito Federal). O quarteto mostrava que aquele estava longe de ser um cenário cor de rosa em formação no horizonte.

Os efeitos da prisão ainda não estavam claros naquele momento. A transcrição dos áudios gravados por Bernardo Cerveró falava por si: nada ali era dito e feito em nome do e para o governo. Alertou-se, no entanto, que a imprensa não tardaria a se esforçar para vincular o malfeito de Delcídio ao governo. Duas mensagens essenciais, portanto, deveriam ser claras. Primeiro: a vida seguia, e o governo continuava concentrado na pauta de votações do Congresso. Segundo: aquela havia sido uma ação isolada do senador.

Jornais, TVs e sites logo apontariam o impacto sobre as crises política e econômica. Votações importantes no Congresso estavam em curso – especialmente a revisão da meta fiscal daquele ano. Sabia-se que o Senado pararia por algum tempo, e se não aprovasse a nova meta fiscal, a presidente começaria 2016 extremamente vulnerável a um processo de impeachment. Mais: com a meta antiga, em apenas um mês o governo sofreria um *shutdown*: teria de dar calote na folha de pagamento e suspender um volume brutal de benefícios sociais. "Prisão de Delcídio pode agravar crise política e econômica", foi a manchete do jornal *Valor Econômico* do dia seguinte à prisão.

Logo surgiriam também as análises e matérias de bastidor, com fontes creditadas "em *off*", de que havia "preocupação" no Palácio. Naquele caso, o receio, segundo tais versões, estaria no potencial bélico existente caso Delcídio do Amaral e Nestor Cerveró resolvessem falar aos investigadores da Lava Jato. O primeiro, pelo extenso currículo de serviços prestados ao PT e ao governo, pelo livre trânsito que tinha no Palácio do Planalto e ainda pela rede de articulações que havia montado inclusive com a oposição. Não à toa viu-se no Senado um constrangimento generalizado em torno da sua prisão. Com Nestor Cerveró, dizia a imprensa, a presidente poderia se complicar. Na gravação, Delcídio comenta que o ex-diretor sugeria prejudicar a presidente ao falar sobre a polêmica compra da refinaria de Pasadena – ela comandava o Conselho de Administração da Petrobras quando a estatal decidiu pela compra da refinaria nos Estados Unidos.

O fato é que, com ou sem temor, o governo ficou em choque nos primeiros dias após a prisão de Delcídio e Esteves. E a comunicação não conseguiu vencer a inércia e a ausência de estratégia naquele momento. Isso foi imensamente prejudicial para a presidente Dilma. O governo se encolheu. Sem saber como reagir, não conseguiu mostrar que "a vida segue", como pretendia. "O presidente do Senado, Renan Calheiros (PMDB-AL), até aqui arrimo legislativo do Palácio do Planalto, começa a dar sinais de distanciamento. A percepção geral é de que o melhor já passou e o pior ainda está por vir", escreveu Natuza Nery, na coluna "Painel", da *Folha de S.Paulo*. Com o Congresso caminhando para o recesso, a crise só voltaria a dar o ar da graça a partir de fevereiro, segundo o radar do mundo político. Engano. A Operação Lava Jato antecipava o calendário. Natuza mencionava uma sensação de "ressaca prolongada".

Se o governo ficou inerte, o Senado mostrou-se atônito. Na manhã da prisão, ainda por volta das 8 horas, o presidente do Senado, Renan Calheiros, começou uma maratona de telefonemas. "Vamos ter que fazer uma reunião. O senador Delcídio do Amaral foi preso", repetia. O procurador-geral da República, Rodrigo Janot, havia lhe lembrado naquela manhã que, de acordo com o artigo 53 da Constituição Federal, em caso de prisão de senador, o plenário do Senado é chamado a fazer uma votação para confirmar ou rejeitar a prisão do colega. Era a chance de Delcídio sair da cadeia.

Ao longo do dia, integrantes do PT, do PMDB e do PSDB montaram um plano para ajudar o senador preso: voto fechado no plenário. Nos pronunciamentos públicos dos senadores, todos faziam questão de expressar sua "perplexidade" com a notícia. Nos encontros privados, a tônica eram os cálculos sobre o impacto da prisão de um colega durante o exercício do mandato e o precedente aberto sobre o Parlamento. Numa das reuniões para tratar do assunto, José Sarney fez um alerta aos que defendiam manter o petista na prisão: "Cuidado. Isso abre um precedente..."

O comando do PT, no entanto, estragou as negociações ao divulgar uma nota jogando Delcídio aos leões. Em três itens, o presidente do partido, Rui Falcão, abandonava o correligionário:

> Nenhuma das tratativas atribuídas ao senador tem qualquer relação com sua atividade partidária, seja como parlamentar ou como simples filiado; 2. Por isso mesmo, o PT não se julga obrigado a qualquer gesto de solidariedade; 3. A presidência do PT estará convocando, em curto espaço de tempo, reunião da Comissão Executiva Nacional para adotar medidas que a direção partidária julgar cabíveis.

Em votação aberta no plenário do Senado, a prisão de Delcídio foi confirmada por 59 votos a favor e apenas 13 contra. Quando Renan anunciou o resultado, houve silêncio no plenário. Os senadores ficaram mudos. O clima era de abatimento, mesmo entre os vitoriosos.

O governo continuou derrapando, e a imprensa alimentou o ambiente de catástrofe para o Palácio do Planalto. O ministro Ricardo Berzoini fez uma cuidadosa fala ao *O Globo,* mas deixou escapar uma frase que seria destacada na primeira página de sábado: "É uma tragédia." A frase completa só viria nas páginas internas: "É uma tragédia que isso aconteça com uma pessoa que tinha um relacionamento bom na situação e na oposição." No contexto, o ministro ressaltava "a surpresa e a tristeza do governo por envolver uma pessoa que convivia conosco semanalmente". Berzoini ressaltou o fato de que o senador estava ali agindo em caráter individual, não em nome da atividade dele como líder do governo.

Na edição daquele fim de semana, a revista *Veja* oferecia o que os ministros palacianos denominaram armadilha: classificando Delcídio como "a testemunha" (o título da capa com a foto do senador), a revista dizia que a prisão dele deixava "o mundo oficial em suspense". O motivo: "Ninguém atuou mais próximo de Lula e Dilma nos momentos dramáticos dos escândalos do mensalão e do petrolão." A revista anunciava ali – e o próprio personagem ameaçaria em seguida – que Delcídio teria muito a revelar, com informações suficientes para deixar o governo com medo e acuado.

No domingo, em Paris, onde participava da conferência sobre o clima COP21, a presidente falou pela primeira vez sobre o assunto. Foi firme, segura e sincera na entrevista coletiva: "Fiquei perplexa, extremamente perplexa. Eu não esperava que isso acontecesse, ninguém esperava", afirmou. "Não tenho nenhum temor em relação a uma delação do senador Delcídio. O senador era de fato uma pessoa bastante bem relacionada no Senado. Nós o escolhemos porque tinha relações com todos os partidos, inclusive com os da oposição." Dilma negou ter indicado Nestor Cerveró para o cargo de diretor da área Internacional da Petrobras – Delcídio disse, em depoimento à Polícia Federal, que a indicação passou por ela, na época (em 2003) ministra-chefe da Casa Civil. "Não indiquei o Nestor Cerveró. Eu acho que o senador Delcídio se equivoca. Ele [Cerveró] não é da minha indicação, da minha relação, isso é público e notório." A presidente também repudiou a versão de que, segundo Cerveró, ela saberia de tudo sobre as supostas irregularidades na negociação de compra da refinaria de Pasadena, nos Estados Unidos. "É uma forma de tentar confundir as coisas. Não só eu não sabia disso que, quando foi detectado que ele [Cerveró] não tinha dado todos os elementos para nós, fui a pessoa que insistiu para ele sair. Não tenho relação com Nestor Cerveró, e acho que ele pode não gostar de mim", declarou.

Eram temas que retornariam com frequência ao gabinete da presidente. Quatro meses depois Delcídio voltaria a produzir uma das mais barulhentas crises para o governo. Antes disso, porém, Dilma enfrentaria Nestor Cerveró e Pasadena. Dissabores e irritações à vista.

Capítulo 18

PASADENA IRRITA

"Rodrigo, não me responda", disse-me por telefone, com ênfase, a presidente Dilma Rousseff. "Pare de me responder. Não me responda!", insistiu, após minha última tentativa. Suas palavras vieram duras, tinham um tom ríspido, mas não houve grito da parte dela. Era o fim do diálogo na linha ponto--e-contraponto, argumento-e-contra-argumento, bate-e-responde que ela e eu travávamos por telefone na noite de 13 de janeiro de 2016. Apesar de acostumado a telefonemas duros, percebi que seu tom atingira um grau acima do habitual. O assunto era Pasadena. Mais precisamente, um questionamento da repórter Letícia Casado, do jornal *Valor Econômico*, sobre o resumo de informações entregues à Procuradoria-Geral da República dos assuntos a serem abordados na delação premiada de Nestor Cerveró.

O ex-diretor da área Internacional da Petrobras mostrara-se um calo na vida da presidente desde o início de 2014, quando a polêmica se instalou, e a compra de 50% da refinaria de Pasadena, concretizada oito anos antes, passou a ser duramente questionada e tratada como escândalo da empresa. De março de 2014 a janeiro de 2016, haviam sido incontáveis as demandas da imprensa sobre o Palácio do Planalto. Os arquivos da presidente e da Secom colecionavam perguntas e mais perguntas respondidas a jornais, revistas e TVs sobre o caso. Era um vespeiro em que se entrava com certa frequência.

Naquela quarta-feira 13, o telefonema veio do Palácio da Alvorada, onde a presidente acabara de chegar, saída do Palácio do Planalto. Já no Alvorada, sozinha, sem auxiliares nem documentos por perto, ela se exasperava por ter recebido tão tarde minha mensagem com o questionamento do *Valor* e a proposta de resposta. Tentei explicar-lhe, sem sucesso, que o e-mail da repórter, com a menção ao resumo em quatro itens, chegara apenas quarenta minutos antes – foi o tempo para que minha equipe me repassasse a mensagem e eu adotasse o roteiro de praxe: consultar o histórico de respostas ao tema, verificar com Gilles Azevedo (o assessor especial que sabia praticamente tudo o que a presidente pensava e gostaria de dizer) o tom adequado da resposta e repassá-la. Em essência, como os pontos repetiam os termos já questionados ao Palácio, a resposta também repetia os termos usados pela presidente para tratar do caso de Pasadena.

Para celebrar minha falta de sorte (ou incompetência), a presidente deixara o Planalto mais cedo – pouco depois das 19 horas. Nesses momentos eu revelava especial incapacidade de aplacar a ansiedade e o nervosismo dela. Não seria diferente naquele telefonema, que resultou numa conclusão muito clara dali em diante: todas as vezes que Pasadena veio à tona na imprensa, seja por meio de Nestor Cerveró, seja por meio de outro diretor da Petrobras ou pelo senador Delcídio do Amaral, a reação da presidente mostrava-se ainda mais enfática e dura do que o de costume. As más línguas do Palácio e da imprensa classificariam as reações presidenciais extremadas como estranhas e a explicariam como fruto de alguma culpa no cartório. Tentava-se dissuadir os jornalistas dessa ideia.

Sua reação era simples na origem e complexa nas consequências: com Pasadena, o nome da presidente ficara diretamente exposto como em nenhuma outra polêmica instaurada pela Lava Jato até ali. Isso costuma ser uma facada no coração para quem se considera honesta e íntegra, sem culpa ou nódoa. Dilma também tinha uma cisma especial com Cerveró e quaisquer outros envolvidos na Lava Jato cujos depoimentos vazavam continuamente para a imprensa – sobretudo citando-a nominalmente.

O *Estadão* tentava passar a ideia de que as citações de Nestor Cerveró à presidente "preocupavam o Planalto", segundo expressão descrita em sua manchete de primeira página. "Preocupar" é um dos verbos preferidos dos repórteres que cobrem o Palácio do Planalto, aquele tipo de vício do qual não conseguem escapar. Em geral com matérias creditadas a fontes anônimas – "em *off*", no jargão jornalístico –, quase diariamente o verbo se espalhava pelas páginas dos jornais, sempre acrescido de uma entidade superior, genérica e que carece da necessidade de comprovação: Planalto. Surge uma denúncia? "Planalto está preocupado." Previsão de um número ruim na economia? "Inflação preocupa Planalto." Negociação em curso no Congresso? "Planalto preocupado com possível derrota." Segundo quem? "Fontes do Planalto."

Um misto de obviedade e falso estardalhaço – em tese, o Palácio do Planalto se preocupa com tudo e com todos. Preocupação que gera temor, medo do que virá, é uma coisa. Preocupação que gera ação, medidas, negociações, isso é outra coisa. Mas para boa parte da imprensa, "preocupação" exibe um só sentido, de dose dupla: tem-se aí uma matéria forte, e há uma crise no governo. Ou melhor, no Planalto.

O motivo de preocupação era Nestor Cerveró, o epicentro da polêmica compra da refinaria de Pasadena, um homem preso desde janeiro de 2014 sob a acusação de embolsar dinheiro sujo e sentenciado duas vezes pelo juiz Sergio Moro: numa delas, a cinco anos de reclusão, por comprar um apartamento com recursos desviados da Petrobras; na outra, a 12 anos e três meses de prisão, por corrupção passiva e lavagem de dinheiro.

O negócio estava mergulhado em polêmica. Em 2005, a empresa belga Astra Oil comprou a refinaria "Pasadena Refining System" pela quantia de US$ 42 milhões. Após essa compra, investiu mais US$ 84 milhões na empresa. No total, portanto, o investimento foi de US$ 126 milhões. Em 2006, a Petrobras comprou da Astra Oil 50% dessa refinaria pela quantia de US$ 190 milhões. A empresa pagou outros US$ 170 milhões para comprar metade de todo o estoque de petróleo que a refinaria possuía, totalizando um desembolso de US$ 360 milhões.

Quando a polêmica veio à tona, alguns jornalistas, muito apressados, correram para anunciar que a Petrobras tinha comprado por US$ 360 milhões a metade de uma refinaria que supostamente valia US$ 21 milhões no ano anterior. Na conclusão da imprensa, em geral, era batata: ou se tratava de um patético exemplo de lambança na gestão ou havia cheiro podre de corrupção no ar. Essa versão continuou existindo durante um bom tempo. Por exemplo, oito, nove anos depois, a TV Globo e os jornais *Folha de S.Paulo*, *Estado de S. Paulo* e *O Globo* ainda mencionavam os US$ 360 milhões como o valor da compra de metade da refinaria ao recontarem o histórico da negociação. A omissão de um investimento de US$ 84 milhões, feito na refinaria pela Astra, significaria que a Petrobras teria comprado a metade da refinaria por um valor 1600% maior do que supostamente valeria.

Convém lembrar: vivia-se em 2006 um *boom* de commodities como nunca antes na história. Uma abundância extraordinária de financiamentos. O início de uma euforia exuberante que duraria quase todo o segundo mandato do presidente Lula. As multinacionais brasileiras lançaram-se no mundo. A Vale, por exemplo, adquiriu a canadense Inco, pagando US$ 18 bilhões por cerca de 75% das ações da companhia.

No fim de 2006, o negócio de Pasadena foi abalado com a descoberta do pré-sal no Brasil. Até então a Petrobras tinha planos de investir na refinaria para adaptá-la ao refino de óleo pesado vindo do Brasil. A companhia planejava abocanhar um pedaço do mercado de refino dos Estados Unidos, de longe o maior do planeta. Com a descoberta do pré-sal, houve uma revolução nos planos da Petrobras: todo o capital teve de ser imediatamente remanejado para o desenvolvimento de exploração em águas profundas e prospecção nas áreas adjacentes às primeiras descobertas. A refinaria de Pasadena teria de esperar.

Veio 2008 e, com ele, uma crise financeira mundial de elevadíssima gravidade, capaz de fazer evaporar os créditos no mundo inteiro. A Astra – aborrecida porque a Petrobras deixara Pasadena de lado, e espremida pelo aperto financeiro que asfixiava muitas empresas, decidiu sair do negócio. Mais: obteve uma vitória judicial na Corte americana, obrigando a Petrobras a pagar US$ 296 milhões pela sua parte da refinaria – os outros 50%. O valor a ser desembolsado pela empresa brasileira incluiria o restante dos estoques de petróleo, acrescidos de juros, multas e honorários. As cifras adquiriam contornos ainda mais surpreendentes: US$ 820,5 milhões. Somados aos US$ 360 milhões (50% da refinaria + metade dos estoques em 2006), o número da aquisição subia para o inacreditável patamar de US$ 1,18 bilhão.

Para ser concretizado em 2006, o negócio passou pelo Conselho de Administração da Petrobras, presidido pela então ministra Dilma Rousseff. A proposta de compra de Pasadena foi levada ao conselho na reunião de 3 de fevereiro. Não havia noviços no conselho, e sim grandes executivos do país, acostumados com práticas de fusões e aquisições consagradas internacionalmente. Cláudio Haddad, ex-sócio do Banco Garantia, um dos pioneiros da fase de fusões entre empresas nos anos 1990, diria mais tarde: "A gente achou que seria um bom negócio para a Petrobras. Eu me lembro que teve uma *fairness opinion* [recomendação de uma instituição financeira], do Citibank, que comparou preços, recomendou e mostrou que estava perfeitamente dentro, até abaixo dos preços praticados na época. Como o investimento fazia sentido, o preço estava ok, não havia por que o conselho não aprovar."

Jorge Gerdau também integrava o conselho – ele comandara um amplo processo de aquisições da sua siderúrgica, a Gerdau: "O Conselho de Administração da Petrobras baseou-se em avaliações técnicas de consultorias com reconhecida experiência internacional, cujos pareceres apontavam para a validade e a oportunidade do negócio, considerando as boas perspectivas de mercado para os anos seguintes. Entretanto, a crise global de 2008 alterou drasticamente o potencial de crescimento do mercado nos anos subsequentes."

Fábio Barbosa presidia na época o ABN Amro e a Federação Brasileira dos Bancos. Quando a polêmica veio à tona, era o presidente da editora Abril, que edita a revista *Veja*. Disse Barbosa em março de 2014: "A proposta de compra de Pasadena submetida ao Conselho em fevereiro de 2006, do qual eu fazia parte, estava inteiramente alinhada com o plano estratégico vigente para a empresa, e o valor da operação estava dentro dos parâmetros do mercado, conforme atestou então um grande banco americano, contratado para esse fim. A operação foi aprovada naquela reunião nos termos do relatório executivo apresentado."

Em 2014, a maior surpresa veio da própria presidente Dilma Rousseff, que fez a Secretaria de Comunicação Social da Presidência divulgar uma nota na qual afirmava pessoalmente que o negócio só fora aprovado pelo conselho porque cláusulas fundamentais eram desconhecidas. Haviam sido omitidas no Resumo Executivo e na apresentação "Aquisição da Refinaria de Pasadena", realizada pelo então diretor Internacional da Petrobras, Nestor Cerveró. Segundo ela, tais cláusulas – desconhecidas e não aprovadas pelo conselho – só seriam descobertas em 2008, quando surgiu a proposta de aquisição dos 50% remanescentes das ações da refinaria. A cláusula Marlim previa à Astra Oil um lucro de 6,9% ao ano, independentemente das condições de mercado, enquanto a cláusula Put Option obrigava a empresa brasileira a comprar a outra metade da refinaria caso houvesse desentendimento com a parceira belga.

Um problemão. Como o Resumo Executivo apresentado por Cerveró não fizera referência a nenhuma dessas cláusulas, numa reunião de 3 de março de 2006, o Conselho de Administração decidiu vetar o negócio da compra dos 50% restantes. E determinou a Cerveró a reapresentação do tema com informações complementares. Novas reuniões e veto final por parte do conselho.

Os três pontos citados pelo resumo dos advogados de Nestor Cerveró, mencionados pela repórter do *Valor Econômico* e respondidos na nota sugerida à presidente eram: a) Dilma Rousseff incentivou Nestor Cerveró para acelerar as tratativas sobre Pasadena. Sempre esteve a par de tudo o que ocorreu na compra daquela refinaria e realizou diversas reuniões com Nestor durante todo o trâmite; b) a responsabilidade pela aprovação da compra de Pasadena é da presidente Dilma, como presidente na época do Conselho de Administração da Petrobras, segundo o estatuto da empresa; c) o senador Delcídio do Amaral tinha relacionamento muito próximo ("quase íntimo") com Dilma Rousseff, sendo que participou de diversas reuniões com ela e Cerveró, fato que leva a crer que Dilma tinha conhecimento do valor adiantado para o *revamp*. No termo em que tratou sobre Pasadena, no entanto, Cerveró não falou sobre Dilma. Após a exposição dos três termos, a repórter perguntava se a presidente gostaria de fazer algum comentário. Era uma pergunta clássica nesses casos.

Tratava-se ali de mais um capítulo dos inúmeros trechos repassados à imprensa de depoimentos ou supostas informações dadas por Cerveró aos investigadores. Em novembro, o tema atingira um de seus picos, quando a revista *Veja* antecipou para sexta-feira sua edição do fim de semana. Vinha com 13 páginas reservadas a um depoimento de Cerveró a investigadores. Nele, o ex-diretor da Petrobras teria dito que o PT usou negócios da diretoria Internacional da Petrobras para financiar a campanha do então presidente Lula à reeleição. Na matéria da revista, são citados dois desses negócios: (1) o pagamento de US$ 300 milhões ao governo de Luanda pelo direito de explorar um campo petrolífero em águas profundas nas costas de Angola, por meio do qual teriam retornado R$ 40 milhões a R$ 50 milhões em propinas para financiamento da campanha de Lula; e (2) a compra da refinaria de Pasadena, com menção explícita de Cerveró ao nome da presidente Dilma.

No trecho sobre a presidente, Cerveró teria dito que ela "o incentivou a acelerar as tratativas. Sempre esteve a par de tudo que ocorreu na compra daquela refinaria e realizou diversas reuniões com Nestor durante todo o período". Somente no parágrafo seguinte a essa afirmação, *Veja* atesta que a presidente Dilma impediu a operação, para seguir com esta conclusão, em tom visivelmente irônico: "Então, de acordo com os fatos, tem-se uma Dilma que aprovou a compra de Pasadena e outra que vetou sua bilionária renovação. Podemos estar diante, como explicariam os físicos, de uma Dilma que é desonesta e honesta ao mesmo tempo? Impossível. A interpretação benigna é de que Dilma foi mesmo induzida por um relatório fajuto a acreditar que a compra de Pasadena seria bom negócio."

Na época, o repórter da *Veja* Robson Bonin procurou a Secretaria de Imprensa da Presidência para perguntar: 1) a presidente Dilma, quando ainda era presidente do Conselho de Administração, adotou alguma medida para acelerar a compra da refinaria no Texas?; 2) em que momento a presidente Dilma Rousseff tomou conhecimento das reais condições da refinaria de Pasadena e dos termos do negócio?; 3) a presidente Dilma Rousseff se reuniu quantas vezes com o ex-diretor Nestor Cerveró para tratar da compra da refinaria de Pasadena?; 4) como a presidente foi informada das intenções da Petrobras em contratar a Odebrecht para realizar o *revamp* em Pasadena? Respondemos assim:

> A aquisição de 50% das ações da Refinaria de Pasadena pela Petrobras foi autorizada pelo Conselho de Administração em 03.02.2006, com base em Resumo Executivo elaborado pelo diretor da área Internacional. Conforme já explicado em diversas outras oportunidades, posteriormente soube-se que tal resumo era técnica e juridicamente falho, pois omitia qualquer referência às cláusulas Marlim e de Put Option que integravam o contrato. Em reunião de 03.03.2008, diante da proposta de compra das ações remanescentes, e aplicação de cláusulas contratuais até então não conhecidas e, portanto, não aprovadas pelo Conselho de Administração, este decidiu não aprovar a operação e determinou à Diretoria Executiva a reapresentação do tema com informações complementares. O tema retornou nas reuniões subsequentes, resultando na não aprovação da compra das ações e na decisão de abertura do processo arbitral contra o grupo Astra. A presidente Dilma Rousseff tratou da compra da refinaria com o então diretor da área Internacional, Nestor Cerveró, nas reuniões do Conselho de Administração em que o assunto foi discutido com a Diretoria Executiva.

O resumo entregue em janeiro e tratado pelo *Valor* tinha, portanto, os mesmos termos já abordados pela *Veja* em novembro. E se respondia essencialmente da mesma forma a todos os jornais e revistas que procuravam o Palácio – antes e depois que assumi a Secretaria de Imprensa da Presidência.

Também antes e depois, Dilma se mostrava irritada especialmente com a tentativa da imprensa de vincular o seu nome – ainda que indiretamente – aos malfeitos na Petrobras. Na *Folha*, um subtítulo dizia, com (ou sem) sutileza: "Documentos lançam novas suspeitas sobre a compra que foi aprovada por Dilma". Na GloboNews: "Pasadena tem uma importância especial porque foi por meio desse assunto que a presidente Dilma, pela primeira vez, se embaraçou com o assunto Petrobras, quando teve que vir a público dizer que só autorizou a compra de Pasadena porque estaria mal informada." No portal UOL, Josias de Souza informava: "Lava Jato vareja a refinaria que Dilma avalizou".

Na manhã seguinte ao acalorado telefonema da presidente, no *briefing* matinal, ficou clara a tentativa da oposição de transformar Nestor Cerveró em personagem-principal da frente antigoverno e sua delação premiada em peça contra o impeachment. Bastava ver as manchetes da *Folha* e do *Estadão*, reforçadas por minieditorial de *O Globo*. Mas o *Valor*, no fim das contas, confrontava o resumo entregue pelos advogados de Nestor Cerveró à Procuradoria-Geral da República e o que ele prometera revelar – cujos conteúdos haviam vazado amplamente para a imprensa. Entre a promessa do ex-diretor e o que ele efetivamente disse nos depoimentos prestados por meio de sua delação, havia uma distância considerável, inclusive – e principalmente – no fato de que ele ameaçara citar o conhecimento da presidente Dilma, mas não o fizera no depoimento. Na síntese do título da reportagem de Letícia Casado e André Guilherme Vieira: "Cerveró muda versão de propina à campanha de Lula", com destaque no subtítulo para o fato de que "ex-presidente e Dilma não são citados em termo de delação". Se no resumo Cerveró a citara três vezes, no termo de delação homologado pelo STF não havia qualquer menção à presidente. Isso demonstrava uma evidente volatilidade e ausência de provas (ou, como se diz no jargão, falta de materialidade), algo que – assim eu pensava e ressaltava para a presidente – abria espaço para a narrativa de desconstrução a ser trabalhada pelo Palácio do Planalto.

Esse era um dos problemas que a presidente, ministros e assessores mais ressaltavam no cotidiano do Palácio: vazamentos faziam o estrago, mas muitos depois não se confirmavam. Mas mesmo não se confirmando, o vazamento original já cumprira seu efeito: jogar uma zona de sombras e suspeitas sobre os acusados. Era o caso em questão.

Não haveria descanso. Uma semana depois, Cerveró voltaria a protagonizar menções à presidente – no vazamento da conversa entre Bernardo Cerveró, filho do ex-diretor, o senador Delcídio do Amaral e o advogado Edson Ribeiro. Gravada por Bernardo e entregue à revista *IstoÉ* sabe-se lá por quem, a conversa abriria uma nova frente de batalha, com Pasadena novamente como um dos problemas no colo da presidente. Suas reações seriam igualmente agudas.

Capítulo 19

DEU ZIKA

O alerta mais enfático veio do ministro Edinho Silva: "Não nos enganemos. Se perdermos o controle, esta epidemia pode se transformar numa crise muito mais grave do que qualquer processo de impeachment. Sequer vai haver um governo para ser impedido." Era uma declaração destinada a ganhar a atenção da interlocutora e alertá-la de que o governo precisava fazer muito mais. Com seu jeito elegante, firme mas sem perder o padrão respeitoso com que lidava com a presidente Dilma Rousseff, o ministro apontava o dedo para uma tragédia social iminente: o vírus zika. Se faltasse uma crise na política ou na economia, ali havia uma. E séria. Não foi o único alerta, aquele feito por Edinho Silva, mas certamente ajudou a sair de certo estado titubeante com que o tema parecia estar sendo tratado no governo.

O zika acabou resultando num desses mistérios que só o estranho padrão de Brasília é capaz de produzir: a deflagração de uma (nova) crise; uma chuva de críticas da imprensa; a cruel – e falsa – sensação de tratar-se de um problema nascido no Brasil e no governo Dilma; a mobilização sob o comando pessoal da presidente; e a transformação da crise numa "agenda positiva", segundo definição de parte da própria imprensa que a criticou. O problema não chegou a ser resolvido, mas do ponto de vista essencialmente pragmático, observado de dentro de um governo que precisava de fôlego em curtíssimo prazo, o roteiro seguiu uma trilha inédita: um plano com começo, meio e fim, capaz de unir devidamente política, gestão e comunicação. Mas não sem derrapadas retóricas e ações erráticas.

O Brasil viveu – e, na verdade, ainda vive – uma epidemia tripla. Três doenças causadas por um velho conhecido dos brasileiros, o *Aedes aegypti*, o mosquito da dengue que também transmite chikungunya e zika. O *Aedes* empesteava o Rio de Janeiro no início do século XX, transmitindo a febre amarela. O médico sanitarista Oswaldo Cruz fumigou toda a cidade e conteve o problema. Há muitos anos, como se sabe, o mosquito ataca no verão e transforma a dengue em assunto local, regional e nacional. Até que o verão seguinte traga de novo o assunto. A caminho do verão de 2015, no entanto, o problema era maior. O mosquito ficara mais forte.

Em outubro daquele ano, foi observado um aumento inesperado no número de casos de microcefalia em recém-nascidos. Era um fato inédito no mundo, sem precedentes na literatura científica. Embora houvesse, até ali, referências sobre a relação entre o mosquito, o vírus zika e distúrbios neurológicos, não se conhecia qualquer ligação entre zika e microcefalia. Desde 2014 havia médicos trabalhando com a informação de que o vírus chegara ao Brasil. A partir de agosto de 2015, médicos do Nordeste quebravam a cabeça para tentar entender o que estava acontecendo, e a rede pública de Pernambuco alertou para a suspeita de conexão entre o vírus e a anomalia nos bebês. Tinha-se uma pista: todos os pacientes com manchas vermelhas na pele e coceiras durante as primeiras semanas de gravidez.

A origem do problema estava longe do Brasil. O vírus se tornara epidêmico na Polinésia em 2014. No Brasil, sabia-se apenas que o número de bebês que nasciam com essa anomalia vinha aumentando, sobretudo no Nordeste. Na época, o zika era visto ainda como uma modalidade branda de dengue. A Fundação Oswaldo Cruz (Fiocruz), no Rio, recebeu material colhido nas pacientes e bateu o martelo. Em novembro, o Ministério da Saúde decretou estado de emergência sanitária. Anunciou que o zika matara uma criança no Ceará e reconheceu a suspeita de que tenha provocado 1.248 casos de microcefalia em bebês. O número era preocupante: no ano anterior, o Brasil havia registrado 147 casos de microcefalia. Em apenas quatro meses, os casos suspeitos chegaram a 3.893. E não paravam de crescer. Para alguns, o sistema de vigilância epidemiológica nacional dormiu no ponto – haviam-se passado três meses desde o aparecimento das primeiras suspeitas. Para a presidente, o governo reagiu rapidamente, seguindo o compasso das descobertas.

A atitude inicial foi evitar alarmismos na população. Os primeiros movimentos concentraram-se quase exclusivamente no Ministério da Saúde, com Marcelo Castro no comando. Médico psiquiatra e eleito deputado federal pelo PMDB em 2014, Castro era um noviço no governo. Chegara no início de outubro de 2015, graças à reforma ministerial concebida para dar mais espaço ao seu partido. Recém-empossado, deparou-se com a situação de emergência e colecionou frases infelizes. A primeira foi dita quando a epidemia de microcefalia beirava os quatrocentos casos, e a associação com o zika não estava confirmada. Foi quando o ministro recomendou que os casais conversassem com os médicos antes de decidir ter um filho. "Sexo é para amadores, gravidez é para profissionais", disse. E completou: "Ninguém deve engravidar ao acaso, deve ser feito um planejamento para uma maternidade responsável." A frase infeliz deixou a impressão que os pais estariam sendo responsabilizados pela má-formação dos bebês.

A segunda grande gafe veio com a declaração de que torcia para que as mulheres pegassem zika antes da idade fértil. A torcida era sua solução para combater a microcefalia, apostando na hipótese, naquele momento não confirmada, de que, após o contágio, a população ficaria imunizada.

O sinal amarelo acendeu no Palácio do Planalto, e a comunicação foi chamada a intervir. Não que o ministro não tivesse bons assessores. Ao contrário, tinha uma equipe de alto nível, comandada, no lado da imprensa, por Renato Strauss. Com jeito, passou-se a trabalhar em conjunto, atuando para minimizar os dados causados pela língua solta de Marcelo Castro. Buscava-se centralização de porta-vozes, de modo a evitar a profusão de mensagens alarmistas por múltiplas fontes, transparência nos dados e, claro, contenção das falas do ministro. A vantagem de Marcelo Castro: se lhe faltava controle verbal e competência retórica, sobravam simpatia e humildade. Era mais fácil assim. Mas ele continuaria a produzir pérolas, como a sua descrição para o "danado" do *Aedes aegypti*: "É tímido, mas gosta das extremidades." Segundo ele, as mulheres, grávidas ou não, seriam as principais vítimas do mosquito, "porque elas ficam com as pernas de fora e, quando usam calças, usam sandálias".

O Plano Nacional para o Enfrentamento das Microcefalias foi lançado pela presidente Dilma no início do mês de dezembro, em Recife, com três eixos de ação: mobilização e combate ao mosquito, atendimento às pessoas e desenvolvimento tecnológico. No mesmo dia ela ativou a Sala Nacional de Coordenação e Controle do Mosquito Aedes. A sala seria ocupada por representantes de seis ministérios – além do Ministério da Saúde estavam Casa Civil, Educação, Comunicação Social, Integração Nacional e Desenvolvimento Social. Esse tipo de ação era o que fazia a presidente se sentir mais confortável: realizando reuniões, juntando ministérios, designando missões e objetivos, cobrando resultados. Para alguns, uma virtude. Para outros, uma vocação excessiva para os detalhes e a burocracia, algo incompatível com o cargo que ocupava.

Na prática, Dilma estava à procura do seu Oswaldo Cruz. No fim das contas, o plano recebeu a cobertura amuada da grande imprensa, que via no gesto mais uma ação burocrata. Na síntese do jornalista Elio Gaspari: "Aí está a essência da gestão da doutora: havendo um problema (o mosquito), lança-se um plano de enfrentamento, cria-se uma sala de controle anexa a um centro de gerenciamento e daí em diante o assunto é dos outros."

A batalha da comunicação e do relacionamento com a imprensa brasileira estava sendo perdida mais uma vez. Mesmo a condição de problema global parecia não aplacar o criticismo da mídia nacional: a Organização Mundial de Saúde (OMS) havia emitido um alerta para que os 140 países-membros da instituição reforçassem o monitoramento em torno do zika vírus. No documento, a OMS reconhecia a relação entre o crescimento dessas doenças e a infecção viral transmitida pelo *Aedes*.

Dilma se irritava. No espaço de três dias conduziu duas grandes reuniões interministeriais para cobrar resultados. Ela ficou nervosa especialmente com a divulgação do boletim epidemiológico do Ministério da Saúde, mostrando o pico de casos até ali: 3.893. Nervosa não com a divulgação, mas com o crescimento progressivo. Para completar, o ministro Marcelo Castro exibira mais um feito: numa entrevista coletiva, afirmou que o Brasil estava "perdendo feio" a batalha para o mosquito. Nos bastidores, um puxão de orelha. Em público, uma declaração que modulava a admissão sincera do ministro. Questionada por jornalistas, ela ressaltou que Castro havia retratado uma realidade: "É impressionante, achei fantástico. Por que criar um problema com a constatação da realidade? Dizer que estamos perdendo [a guerra] é porque queremos ganhar. Nós queremos ganhar. Estamos dizendo: se não nos mobilizarmos, vamos perder isso. Vamos nos mobilizar", afirmou. Castro emendou com um pequeno recuo em sua avaliação pessimista: "Não podemos perder essa batalha e somos obrigados a vencê-la. Estamos todos mobilizados contra o inimigo número um do Brasil hoje, que é o *Aedes aegypti*", disse na saída do Palácio.

O pulo do gato deu-se por uma soma de boas surpresas. Primeiro, a definição de um calendário de mobilização, que seria lançado no dia 29 de janeiro. A presidente acolhera também a ideia de um mutirão de vistoria em todos os prédios públicos federais e o envolvimento de todos os ministérios, diretores de estatais e autarquias. Mais de uma centena de autoridades se espalharam pelo Brasil num mesmo dia, a fim de chamar a população para a campanha nacional contra o mosquito. Visitas a casas e prédios públicos e caminhadas por ruas e lugares abandonados em busca de focos do mosquito marcaram o dia de mobilização.

Ali se confirmou uma das máximas de uma gestão pública diante de um desafio como aquele: no meio de uma crise, a população deseja ser um soldado, não uma vítima. Outra máxima deu-se com a imprensa. O dia nacional de mobilização começou com uma cobertura negativa: como quase sempre fazia diante das ações do governo Dilma, a chamada grande imprensa, aquela concentrada no eixo Rio-São Paulo-Brasília, conduzia uma linha burocrática e crítica. Ao longo do dia, no entanto, foi sendo engolfada pela cobertura entusiasmada da imprensa regional – devidamente acionada em cada município onde chegava uma autoridade do governo, ao lado do prefeito ou do governador.

A campanha #zikazero ganhou vigor. "Um mosquito não é mais forte que um país inteiro" era seu lema, numa ação gerida pela Secom, Casa Civil e Ministério da Saúde. Um comitê integrado tinha a liderança em múltiplas frentes: na política, Casa Civil; na parte técnica, a Saúde; na comunicação, a Secom. Pesquisas qualitativas realizadas pela Secom mostraram resultados significativos: depois de muito tempo, a população enxergava a efetiva presença da presidente na solução de um problema. Se era verdade que sua imagem pessoal era positiva, diferente do seu governo, também era verdade que os entrevistados sentiam falta de uma liderança que, de fato, governasse, e não apenas se encolhesse no Palácio diante de um Congresso que não a deixava em paz, de denúncias de corrupção que se alastravam ao seu redor e de um conjunto de auxiliares que a assessoravam mal.

Era uma boa notícia para Dilma Roussef naquele início de 2016. A ponto de, numa edição de fevereiro, o jornal *Valor Econômico* publicar uma reportagem na qual dizia que a #zikazero se transformara na "agenda positiva" do governo contra o impeachment. Era uma injustiça, o tipo de coisa que alimentava a má vontade com o governo. Em nenhum momento, nos comitês integrados que atuavam nas ações de combate ao *Aedes* ouvia-se alguém enxergar aquele trabalho como uma "agenda positiva" para o governo. Ao contrário: era uma reação efetiva a uma crise. O resultado positivo fora consequência de trabalho – infelizmente engolido por alguma nova fase da Operação Lava Jato, por algum novo revés no Congresso, por alguma derrapada na economia. Aos poucos, o mosquito repetiu sua sina: foi esquecido e guardado como estatística. Até o verão seguinte.

Capítulo 20

LULA É O ALVO

Corria nos corredores e gabinetes do Palácio do Planalto uma certeza entre funcionários, assessores, secretários e ministros que tinham uma admiração especial pelo ex-presidente Luiz Inácio Lula da Silva: ele era o alvo preferencial da Operação Lava Jato de Sergio Moro, Deltan Dallagnol e companhia. Todas as ações da força-tarefa se destinavam a cercá-lo, aos poucos e consistentemente. Um avanço semanal constante de tal ordem que chegaria o dia em que o país amanheceria com a notícia da prisão. O "Barba" estava no epicentro da crise. O que alguns tentavam era convencer a presidente Dilma Rousseff de que atingi-lo constituía uma das etapas fundamentais para pegá-la em seguida. O roteiro tinha um pé na teoria conspiratória e outro na síndrome persecutória que costuma atingir os petistas. Mas o corpo e a alma da tese mergulhavam na realidade: o cerco estava se fechando. A imprensa vinha publicando diariamente, com base nos indícios e acusações repassados pelos investigadores da Lava Jato, uma lista extensa de denúncias contra Lula: a compra e reforma do sítio em Atibaia frequentado pelo ex-presidente e sua família; a mudança e armazenagem por uma transportadora, sem custos, de bens adquiridos enquanto ocupou a Presidência da República; a polêmica em torno do apartamento tríplex no Guarujá, reformado pela OAS empreendimentos. Os três pontos serviriam de argumento para a mais ruidosa ação da Lava Jato desde março de 2014, quando foi criada.

Na sexta-feira, dia 4 de março de 2016, o Brasil acordou com a notícia de que Lula havia sido tirado de casa logo cedo pela Polícia Federal e levado para depor na Operação Aletheia, deflagrada com base em investigações sobre o ex-presidente – Aletheia é uma palavra grega que significa "verdade", "realidade", "não oculto", "revelado", entre outras definições.

De acordo com o Ministério Público Federal, o objetivo daquela 24ª fase da Lava Jato era aprofundar a investigação de possíveis crimes de corrupção e lavagem de dinheiro oriundo de desvios da Petrobras, praticados por meio de pagamentos dissimulados feitos pelo pecuarista José Carlos Bumlai e pelas construtoras OAS e Odebrecht a Lula e pessoas associadas. Às seis da manhã daquela sexta-feira, três delegados, dois escrivães e dez agentes da Polícia Federal bateram à porta do apartamento 122 do bloco 1 da avenida Prestes Maia, 1501, em São Bernardo do Campo, São Paulo. Outros locais seriam visitados por agentes da Polícia Federal: a casa de seu filho Fábio Luís no bairro de Moema, zona sul de São Paulo; o tríplex do Guarujá e a sede do Instituto Lula, também em São Paulo. No apartamento em São Bernardo, quem abriu a porta foi o próprio Lula. Vestindo um abrigo de ginástica, ele olhou para os policiais e disse "bom dia". Enquanto uma equipe batia à porta do ex-presidente, oito homens da tropa de elite da Polícia Federal, o Comando de Operações Táticas, aguardavam embaixo do prédio, na rua, dentro de uma van branca, para entrar em ação ao menor sinal de problema (!). Helicópteros estavam prontos para decolar no aeroporto de Congonhas.

"Bom dia", respondeu o delegado Luciano Flores de Lima, chefe da equipe. "Prazer em conhecê-lo pessoalmente", completou, tentando parecer camarada, para em seguida anunciar que tinha um mandado para fazer uma busca na residência de Lula. Na casa só estavam o ex-presidente e a sua esposa, Marisa Letícia, e os dois seguranças que, por direito constitucional, eram pagos pela Presidência da República. Os agentes entraram. "Ué, mas cadê o japonês?", questionou Lula. Ninguém na sala se conteve. O comentário bem-humorado ajudou a quebrar a tensão do momento. O ex-presidente se referia ao agente Newton Ishii, que ganhou fama ao ser fotografado conduzindo diversos presos da Lava Jato. Ele estava de férias e não participou da operação. (Em junho de 2016, o agente seria preso e condenado a quatro anos, dois meses e 21 dias por facilitar a entrada de contrabando no país.)

Não se tratava de uma mera busca na residência do ex-presidente. O delegado comunicou que ele teria de ser interrogado e que, para isso, seria preciso "levá-lo para um lugar tranquilo". Lula elevou o tom de voz ao ouvir aquilo: "Só saio daqui algemado. Se o senhor quiser me levar... Se o senhor quiser me ouvir, vai me ouvir aqui." O delegado retrucou. Disse que ali não havia condições adequadas para um interrogatório, haveria tumulto lá fora. A essa altura manifestantes pró-Lula e jornalistas começavam a chegar e brigar por espaço enquanto o circo midiático já estava montado desde o início da operação. Percebeu-se durante a transmissão ao vivo pela TV Globo que a emissora já sabia da intimação – tanto que chegou no local antes da Polícia Federal. Quando Lula e os agentes chegaram ao aeroporto, repórteres os antecederam.

Segundo o delegado informou ao ex-presidente, eles não iriam para a sede da Polícia Federal, e sim para o salão presidencial do aeroporto de Congonhas. E citou o argumento fundamental para tirar o ex-presidente dali: ele tinha um mandado de condução coercitiva e deixou claro que, caso Lula se recusasse a acompanhá-lo, iria dar cumprimento a ele. Às seis e meia da manhã, sete policiais saíram com Lula para o aeroporto. Oito ficaram para fazer a busca na casa, acompanhados por Marisa Letícia. A viagem até Congonhas duraria cerca de cinquenta minutos.

Foi um susto nacional. Apesar dos dias tensos que se vivia naquele primeiro trimestre de 2016 e das previsões sombrias que corriam nos corredores e gabinetes do Palácio do Planalto, a condução coercitiva surpreendeu muita gente. Em janeiro, os ministros Jaques Wagner e Edinho Silva haviam surgido nas divulgações dos investigadores da Lava Jato, em vazamentos que se espalhavam pela imprensa. Grandes empresários viraram o ano presos atrás das grades. Em fevereiro, o publicitário João Santana e sua mulher, Mônica Moura, foram presos na 23ª fase da operação, acusados de receber US$ 7,5 milhões no exterior de Zwi Skornicki, lobista de um estaleiro que tinha negócios com a Petrobras e de *offshores* ligadas à empreiteira Odebrecht. Ainda em fevereiro, o senador Delcídio do Amaral, preso desde a gravação do filho de Nestor Cerveró, começou a dar os primeiros depoimentos para tentar fechar o acordo de delação premiada, e mandava recados de que poderia ser o pesadelo do governo e de inúmeros políticos.

Em sua primeira entrevista coletiva do ano, em janeiro, num café da manhã com jornalistas que cobriam o Palácio do Planalto, a presidente Dilma sublinhou sua vida limpa ao responder sobre as suspeitas existentes contra políticos, integrantes do governo e aliados. "Nenhuma pessoa teve a vida tão devassada quanto a minha. Podem continuar me virando do avesso. Sobre a minha conduta não paira nenhum embaçamento", disse. Naquele mês, mais de cem advogados assinaram um manifesto intitulado "Carta aberta em repúdio ao regime de supressão episódica de direitos e garantias verificado na Operação Lava Jato". O texto era também assinado por advogados de nomes citados, investigados e acusados pela Lava Jato. "O Brasil virou um país monotemático, onde só tem voz a acusação", disse, à época, o advogado Antônio Carlos Almeida Castro, o Kakay. "Tivemos que reagir porque Moro passou a decretar seguidas prisões e operações para compelir o grupo a fazer leniência e delações", afirmou o advogado Nabor Bulhões. O manifesto criticava o ativismo judicial de Sergio Moro, que se comportava de maneira "mais acusadora do que a própria acusação".

Era esse o ambiente político e judicial vivido pelo país naquele 4 de março de 2016. A notícia de que Lula estava em Congonhas se espalhou e muita gente decidiu ir ao aeroporto. Na sala reservada para o depoimento estavam dois delegados, três agentes, dois procuradores, o ex-presidente Lula, um segurança dele, três advogados e um deputado federal que entrou de penetra, Paulo Teixeira, do PT de São Paulo. O interrogatório durou três horas, entrecortadas por reclamações do advogado de Lula, Roberto Teixeira, para quem muitas perguntas não tinham propósito para as investigações. Ouviu como resposta que Lula dava um depoimento – e o delegado Igor Romário de Paula ainda acrescentou: "Espontâneo!" Não era verdade, e o delegado sabia. Foi mais uma polêmica de um dos expoentes da Lava Jato que, durante a campanha presidencial de 2014, distribuiu insultos a Lula e a Dilma e exaltou Aécio Neves pelas redes sociais. O delegado também esteve envolvido quando Alberto Youssef, já prisioneiro, descobriu um gravador clandestino em sua cela na Superintendência da Polícia Federal em Curitiba.

Encerrado o depoimento, Lula foi para o Diretório do PT em São Paulo. Era um divisor de águas na Lava Jato, um divisor de águas na militância, um divisor de águas na relação entre o ex-presidente e a presidente. A partir dali a Lava Jato atiçaria em definitivo os militantes, que foram às ruas em defesa de Lula e de Dilma. Como disse o ex-ministro Gilberto Carvalho, amigo de longa data do ex-presidente, "eles erraram na dose. Tiraram a militância da paralisia". Havia meses se dizia: um erro da operação transformaria Lula em vítima. E havia meses petistas diziam que ocorreria um avanço desproporcional sobre o ex-presidente. Ocorreu.

O pronunciamento de Lula deixou pasmados aqueles que esperavam vê-lo demolido. Alvejado pela Lava Jato, ele cresceu. Em sua fala transmitida ao vivo pela Globo, Lula surgiu calmo, desafiador, proclamando a restauração do PT, com ele em campo pelo país afora, e já enfrentando os que pretendiam extinguir os dois – líder e partido. "Cutucaram o cão com vara curta e, portanto, quero me oferecer a vocês", disse o ex-presidente, numa referência à disputa presidencial de 2008. "A partir de hoje, a resposta que posso dar é ir para as ruas e dizer: 'estou vivo e sou mais honesto do que vocês'." Lula classificou a condução coercitiva como uma "provocação banal e imbecil". Disse sentir-se vítima de um "sequestro". E sob gritos e aplausos da plateia, completou: "Pode pegar o procurador-geral da República, pode pegar o doutor Moro, pode pegar o delegado da Polícia Federal e juntar todos eles. Se eles forem R$ 1 mais honestos do que eu, desisto da vida pública."

Chorou. "Hoje é o dia da indignação para mim. Já sofri muito, fui preso quando era presidente do sindicato dos metalúrgicos, já perdi eleições. Em todas as vezes que sofri revés, me comportei como democrata", disse, em meio a gritos de "olê, olá, Lula". Uma das críticas à condução coercitiva era que, se tivesse sido convidado, iria a Curitiba depor. "Não precisava disso. Me senti ultrajado, como se fosse prisioneiro, apesar do tratamento cortês dos delegados da Polícia Federal (...). Hoje para mim é o fim. Foi ofensa pessoal, ao meu partido, à democracia, ao estado de direito." Lula lembrou que não havia se recusado a ir a Brasília prestar depoimento três vezes. "Lamentavelmente, estamos vivendo um processo onde a pirotecnia vale mais do que qualquer coisa. O que vale mais é o show midiático do que a apuração séria e responsável que deve ser feita pela Justiça e pelo Ministério Público", destacou o ex-presidente, criticando também a ação da mídia no episódio. "Os advogados ainda nem tinham informações e tudo isso já estava na imprensa."

Em São Paulo, em São Bernardo, no Rio de Janeiro, em Salvador e em outros pontos do país, houve amostras eloquentes de que os ânimos da militância mostraram-se próximos do ponto de descontrole. Luis Nassif, em seu blog, anotou: "A Lava Jato atravessou definitivamente o Rubicão, com a história da condução coercitiva de Lula para prestar depoimento." Para ele, ao reagir à Lava Jato e anunciar que percorreria o país em campanha, o ex-presidente deu xeque, "estreitando as jogadas de Moro". Havia duas possibilidades em jogo, sem meio-termo: ou a prisão de Lula ou o recuo da Lava Jato e operações correlatas. Sem espaço para aquele "lusco-fusco de palavras amenas apenas respaldando a perseguição".

No Palácio do Planalto, como previsivelmente acontecia em dias de operação ou denúncias, jornalistas correram de imediato para saber a reação da presidente e dos ministros. Era o tipo de abordagem irritante, mas frequente. "O que ela disse?", era a pergunta preferencial dos jornalistas. Naquele dia, Dilma demorou a esboçar um padrão de reação capaz de gerar notícia. A presidente fazia sua pedalada matinal próximo ao Palácio da Alvorada quando os agentes bateram à porta de Lula. Às 9h30, com quase uma hora de depoimento do ex-presidente no aeroporto de Congonhas, a presidente chegou ao Palácio do Planalto e se reuniu com os ministros Jaques Wagner, Ricardo Berzoini, José Eduardo Cardozo (recém-saído da Justiça para a Advocacia-Geral da União) e Edinho Silva, e o assessor especial Gilles Azevedo. Havia uma avaliação dupla a fazer: um dia antes, a revista *IstoÉ* provocara outro tsunami com trechos dos termos da delação premiada do senador Delcídio do Amaral, como veremos mais à frente. Entre outras coisas, o ex-líder – que estava preso – teria dito que Lula mandou comprar o silêncio de Nestor Cerveró e de outras testemunhas. Também disse que a presidente usou sua influência para evitar a punição de empreiteiros.

Uma ação da Lava Jato sobre o ex-presidente era algo de certa forma esperado, mas a condução coercitiva soava para Dilma algo violento demais, espetaculoso demais, midiático demais. A dúvida era como se pronunciar a respeito do tema. Uma nota? Uma declaração à imprensa? Uma entrevista coletiva? E qual o tom a ser adotado? Ela decidiu fazer uma nota de apoio a Lula, para lamento da equipe de comunicação do Palácio do Planalto, incluindo os ministros palacianos Edinho Silva, Jaques Wagner e Ricardo Berzoini.

Às 10h30 estava agendada uma reunião fechada com representantes de municípios. Em sua fala, Dilma lamentou a operação, criticou seu caráter midiático e a arbitrariedade de promover uma condução coercitiva de um ex-presidente sem lhe dar a oportunidade de antes aceitar o convite para depor. "Foi um recurso absolutamente desnecessário", disse. Segundo ela, a situação estava saindo da normalidade do que pregava o estado democrático de direito.

No início da tarde, por volta das 13 horas, a presidente ligou para Lula. Quis saber detalhes e oferecer apoio. Combinaram que ela iria a São Bernardo do Campo na manhã do dia seguinte, sábado, onde apareceriam juntos para a militância, num sinal de união contra a arbitrariedade sofrida por Lula. Dilma cumpriu a promessa: foi a São Bernardo do Campo acompanhada do ministro Jaques Wagner, abraçou Lula e Marisa, desejou-lhes força e ânimo, ouviu detalhes da operação do dia anterior, reforçou a crítica ao que chamou de midiático e espetaculoso e tirou fotos na varanda do ex-presidente, ambos ovacionados pelos militantes. Começava ali a sua reaproximação com a militância petista, movimento que foi fundamental nos atos contra o impeachment, na reta final da campanha "Não vai ter golpe".

Pouco antes das 16 horas de sexta-feira, a Secretaria de Imprensa da Presidência divulgava a nota assinada pela presidente. Dizia:

"Nesse momento, na qualidade de Chefe de Estado, avalio necessário ponderar que todos nós, agentes públicos, independentemente do Poder em que atuamos, devemos ter um profundo senso de responsabilidade em relação ao cumprimento das nossas competências constitucionais." Segundo a nota, vazamentos ilegais e prejulgamentos antes do exercício do contraditório e da ampla defesa não contribuiriam para a "busca da verdade", mas apenas serviam para "animar a intolerância e a retórica antidemocrática".

"O respeito aos direitos individuais passa, nas investigações, pela adoção de medidas proporcionais que jamais impliquem em providências mais gravosas do que as necessárias para o esclarecimento de fatos", prosseguia a presidente, que encerrava o texto manifestando "integral inconformismo" com o fato de um ex-presidente da República ser submetido a uma "desnecessária condução coercitiva para prestar um depoimento", mesmo depois de ter comparecido voluntariamente para prestar esclarecimentos.

O estilo do texto deixava pouca dúvida: fora produzido com a ajuda direta de José Eduardo Cardozo, seu mais próximo conselheiro naquele momento, recém-saído do Ministério da Justiça e agora advogado-geral da União. Cardozo estava no epicentro da crise das revelações de Delcídio do Amaral publicadas na *IstoÉ*.

A nota mal havia sido divulgada quando se tomou conhecimento de que a presidente daria uma declaração à imprensa. Foi uma surpresa. Era sempre a melhor saída ver a presidente falar diretamente ao público, mas parecia estranho uma declaração a ser dada imediatamente a uma nota, ambas com o mesmo teor. Num desses momentos que pareciam estrategicamente inexplicáveis e geravam frustrações em quem lidava com a comunicação e com a política do Palácio, nota e discurso acabariam se sobrepondo. Mas Dilma talvez tivesse refletido sobre o impacto da condução coercitiva e das revelações de Delcídio. Assim, na declaração ela uniria os dois episódios. Seu discurso, no entanto, frustrou muita gente no Palácio: esperava-se uma defesa mais enfática do antecessor e padrinho político.

Às 17h30, Dilma desceu do terceiro para o segundo andar do Palácio do Planalto, onde falou para a imprensa. Foi uma declaração de cerca de 11 minutos, dos quais dedicou menos de dois à defesa de Lula. Antes de fazê-lo, ninguém teve coragem de questioná-la sobre a natureza daquele descompasso. As razões da presidente às vezes eram indecifráveis. Mas pesava na sua cabeça o teor das denúncias de Delcídio do Amaral publicadas na *IstoÉ*. Em sua concepção, era o momento de solidariedade e apoio concedidos ao ex-presidente, mas ela precisava também lutar pela sua própria honra.

Dilma repetiu termos da nota divulgada à imprensa cerca de uma hora antes. Disse estar "inconformada" com a desnecessária condução coercitiva de Lula para prestar depoimento em São Paulo. "Quero manifestar meu mais absoluto inconformismo com o fato de o ex-presidente, que por várias vezes compareceu de maneira voluntária para prestar esclarecimentos às autoridades, ser submetido agora a uma desnecessária condução coercitiva." Em seguida entrou naquilo que realmente importava para ela na declaração: seu "inconformismo com o vazamento ilegal dos termos de uma hipotética delação premiada feita pelo senador Delcídio do Amaral". Para a presidente, o senador fez as acusações movido por um desejo imoral e mesquinho. As suspeitas tinham um único objetivo: atingi-la. Classificava o vazamento de "lamentável". Disse: "É lamentável que ocorra ilegalmente o vazamento de uma hipotética delação premiada que teve como objetivo único atingir minha pessoa pelo desejo imoral e mesquinho de vingança de quem não defendeu quem não poderia ser defendido pelos atos que praticou." E rebateu cada referência feita a ela na revista.

A reação naquela sexta-feira deu-se em cadeia. Mais cedo, o Instituto Lula, em nota enviada à imprensa, avaliou a ação como "arbitrária, ilegal e injustificável". A nota dizia: "A violência praticada hoje (4/3) contra o ex--presidente Lula e sua família, contra o Instituto Lula, a ex-deputada Clara Ant e outros cidadãos ligados ao ex-presidente, é uma agressão ao estado de direito que atinge toda a sociedade brasileira. A ação da chamada Força--Tarefa da Lava Jato é arbitrária, ilegal, e injustificável, além de constituir grave afronta ao Supremo Tribunal Federal."

O ministro Marco Aurélio Mello, do STF, mostrou-se curioso em relação à medida de Sergio Moro: "Só se conduz coercitivamente, ou, como se dizia antigamente, debaixo de vara, o cidadão que resiste e não comparece para depor." E convocou diante das atitudes do juiz: "Precisamos colocar os pingos nos is. (...) Amanhã constroem um paredão na praça dos Três Poderes."

Apontava a ilegalidade da decisão de Moro referente a Lula. Como escreveu o jornalista Janio de Freitas, na *Folha de S.Paulo*, Marco Aurélio Mello foi forte: "Paredão remeteu ao *paredón* dos fuzilamentos nos primórdios da revolução cubana. Considera que Moro age por critério seu, não pelos da legislação. O resultado são 'atos de força'. E 'isso implica retrocesso, não avanço'. Marco Aurélio não falou só por falar." A conclusão: a megaoperação resultou em mega-advertência à Lava Jato.

O ex-ministro do STF Carlos Ayres Britto também não viu vantagem no episódio, mas protegeu o juiz Sergio Moro: "Todo juiz criminal tem competência para expedir mandados de condução coercitiva no curso de uma investigação penal. Agora, há uma regra lógica, que a coercitividade se faça necessária." Para Ayres Britto, Moro se baseou em razões de ordem prática para tentar evitar tumulto, o que "sinaliza prudência por parte do magistrado, e não ímpeto persecutório". E elogiou: "O Moro é um juiz competente, apartidário." O ator Wagner Moura foi mais crítico em artigo que publicou alguns dias depois: "O país vive um Estado policialesco movido por ódio político. Sergio Moro é um juiz que age como promotor. As investigações evidenciam atropelos aos direitos consagrados da privacidade e da presunção de inocência."

Do jornalista Elio Gaspari, em sua coluna publicada simultaneamente no *O Globo* e na *Folha*: "Moro deu a Lula o papel de coitadinho." Para o jornalista, Lula não foi preso, e sim submetido a um constrangimento inédito: um ex-presidente da República entrou numa viatura policial. "É bom lembrar que, quando os coronéis de IPMs da ditadura chamavam Juscelino Kubitschek para depor num quartel, marcavam hora e ele ia. O grande JK deixava-se fotografar entrando no prédio com seu inesquecível sorriso." Segundo Gaspari, Lula fora presenteado com o papel de vítima, "que desempenha há quarenta anos com maestria".

O Ministério Público Federal se defendeu. Chamou de "cortina de fumaça" as críticas que eram feitas ao tratamento dado ao ex-presidente. A Associação dos Juízes Federais do Brasil disse que não havia enfoque político na operação, e sim o absoluto cumprimento das funções públicas: "Os fatos apurados na investigação estão alinhados e são coerentes com todos os desdobramentos já ocorridos na Operação Lava Jato, cuja lisura tem sido continuamente reafirmada pelo Tribunal Regional Federal da 4ª Região, pelo Superior Tribunal de Justiça e pelo próprio Supremo Tribunal Federal."

No sábado de manhã foi a vez de o juiz Sergio Moro soltar sua nota. Disse repudiar "atos de violência de qualquer natureza, origem e direcionamento, bem como a incitação à prática de violência, ofensas ou ameaças a quem quer que seja, a investigados, a partidos políticos, a instituições constituídas ou a qualquer pessoa". Moro afirmou que o princípio da condução coercitiva não significava "antecipação de culpa" e lamentava que "as diligências tenham levado a pontuais confrontos em manifestações políticas inflamadas, com agressões a inocentes, exatamente o que se pretendia evitar". Era uma defesa tardia. O país já estava conflagrado ali. Ofensas recíprocas na internet. Convocações a manifestações favoráveis e contrárias ao ex-presidente, a Dilma e ao governo eram feitas para o dia 13 de março. Uma longa vigília ocorreu na frente do prédio onde Lula mora. Aquela sexta-feira foi o primeiro dia em que a rua foi fechada – o que não ocorria nem em dia de eleição.

Num momento de catarse, era claro o ambiente de intimidação. De lado a lado. As consequências à vista foram anotadas pelo jornalista Luis Nassif: a) um clima de guerra em todo o país; b) como efeito da guerra, ataques contra todos os dissidentes, seja recorrendo à violência nas ruas ou à intimidação policial; c) Um clima de vale-tudo disputando o butim da Presidência; d) mais tarde, quando algum novo grupo conseguir a hegemonia política, o primeiro passo será retirar as prerrogativas do Ministério Público e enquadrar a Polícia Federal.

Para a presidente e os ministros que davam expediente no Palácio do Planalto, a justificativa de Sergio Moro, pregando a proteção de Lula, mostrava-se explicitamente frágil. Ela não diria isso publicamente, mas, nos bastidores, ressaltou que o juiz tentava, com a nota, descaracterizar o viés político de sua decisão. Na prática, ele buscava acuar tanto Lula quanto Dilma. Se quisesse de fato proteger o ex-presidente, ela raciocinou, poderia ter tido o cuidado de marcar um depoimento. Se isso se tornasse público, pediria proteção policial para evitar incidentes. Mas não tardaria a chegar o momento em que a presidente endureceria o discurso contra Sergio Moro.

Capítulo 21

PRIMEIRO-MINISTRO

Menos de duas semanas e incontáveis horas de emoção separaram a condução coercitiva à nomeação e posse do ex-presidente Luiz Inácio Lula da Silva como o novo ministro-chefe da Casa Civil. Naqueles dias, os episódios se sucederam sem dar tempo para o país respirar – muito menos a presidente e seus auxiliares. Entre o dia 4, data da condução coercitiva imposta a Lula pelo juiz Sergio Moro, e o dia 16, quando a nomeação foi publicada em edição extra do Diário Oficial da União e a posse do novo ministro acabou suspensa, o telefone não parou, as informações se espalharam de maneira desencontrada e um misto de esperança e tensão era identificado nos corredores e gabinetes do Palácio do Planalto.

A chegada de Lula à Casa Civil significaria, para a quase unanimidade dos auxiliares mais próximos da presidente, a salvação de um governo acuado e incapaz de sair das cordas: sem articulação política eficiente no Congresso, nem uma base de apoio parlamentar consistente, mergulhado numa crise econômica sem precedentes e com dificuldade de retomar o diálogo com o empresariado, o segundo mandato de Dilma Rousseff se esfacelava dia a dia. O ex-presidente tinha a capacidade política que faltava para a relação com o Congresso, a liderança que faltava para gerir o governo e animar a militância, o discurso de entusiasmo que faltava para voltar a fazer os agentes econômicos acreditarem numa saída para a crise que não passasse pelo fim do governo.

Boa parte da imprensa, no entanto, reagia com rudeza e desconfiança. Os prognósticos eram desabonadores: o país teria dois presidentes da República. O verdadeiro poder estaria não mais no terceiro andar, onde ficava o gabinete presidencial, mas no quarto, local onde despachava o chefe da Casa Civil. "Vai dar confusão", era o vaticínio unânime. Recomendação de um dos ministros: "Se der confusão, a ordem para os ministros é: desobedeçam à presidente.

Quem manda é o Lula." Parecia uma forma de dizer que o ex-presidente desembarcaria no Planalto como o salvador da crise instalada no governo.

Surpreendentemente, Dilma aceitara a divisão de poder. Ela sabia das fragilidades em que imergira. Surpreendentemente, Lula resistiu a ingressar no ministério. Quem lidava com ele de perto via o seu reconhecimento ao tamanho do desafio: por um lado, o barco já estava muito tempo à deriva, e a margem existente para recuperação revelava-se restrita; por outro lado, Lula temia o excesso de exposição a que ficaria sujeito. As duas versões eram expostas diariamente pela imprensa. A exposição tinha nome: para a imensa maioria dos jornalistas, a possível nomeação do ex-presidente para o ministério era uma forma de tirá-lo da frente do juiz Sergio Moro. Por lei, investigações e processos contra um ministro de Estado são conduzidos pelo Supremo Tribunal Federal – o chamado foro privilegiado –, e não por um juiz de primeira instância.

Isso resultava na necessidade de um contorcionismo sem precedentes na história da comunicação do governo. Lembro-me de um debate acalorado com o jornalista Gerson Camarotti, da GloboNews. Crítico da ideia, ele recusava o argumento de que a chegada de Lula ao governo reabria um sinal de esperança de gestão, capacidade política e ânimo da torcida. No dia da posse do novo ministro, Camarotti escrevera o que muitos estavam ressaltando naquele momento: Dilma, na verdade, queria livrar o ex-presidente do juiz Sergio Moro. Eu tentava convencê-lo do contrário. Mas cometi um equívoco: admitir que, no Palácio do Planalto, se enxergava com olhos críticos os excessos cometidos em Curitiba, onde funcionava o QG da força-tarefa da Lava Jato. Ter o foro privilegiado não era a garantia de absolvição prévia, convinha lembrar, mas de juízes que agiriam com a racionalidade que faltava a Moro. Era um raciocínio lógico para o governo, mas com as tensões envolvidas não parecia coisa adequada para se admitir a um jornalista. O gesto, no entanto, se justificava. Parecia difícil ignorar completamente a face visível da relação Lula-Moro. Os equívocos da Lava Jato, com os vazamentos seletivos, por exemplo, deixavam claro o tamanho da perseguição implacável sobre o ex-presidente, com o beneplácito da imprensa. No mínimo, uma conivência ou um oportunismo diante da atuação dos investigadores, delegados, procuradores e juiz.

Com isso, o risco de que Lula fosse preso era real. No dia 9 de março, o Ministério Público de São Paulo denunciou o ex-presidente à Justiça por lavagem de dinheiro no caso do tríplex do Guarujá e pediu sua prisão preventiva. O caso seria analisado pela juíza Maria Priscilla Ernandes Veiga, da 4ª Vara Criminal de São Paulo. Naquele dia, a presidente Dilma visitava a Fundação Oswaldo Cruz (Fiocruz), no Rio de Janeiro. Era uma de suas ações na campanha #zikazero. No momento da divulgação do pedido de prisão preventiva, Dilma estava na mesa de um auditório, ao lado do governador Luiz Fernando Pezão e de diretores da Fiocruz. Foram minutos tensos até que a apresentação acabasse e ela pudesse ser informada do que ocorrera. Nesse momento, o secretário particular da presidente, Bruno Monteiro, já havia reservado uma sala para que ela pudesse conversar com os ministros Jaques Wagner e José Eduardo Cardozo. O cenário estava pronto para ela tomar alguma atitude ali. "Eu avisei tanto o Lula", disse-me a presidente, falando baixo, depois de ouvir a notícia do pedido de prisão preventiva.

O pedido do Ministério Público deixou o Congresso e os jornalistas em polvorosa. Mas a presidente não se pronunciaria naquele dia, apesar da insistência de repórteres. Com a notícia, as especulações sobre o embarque de Lula no governo aumentaram exponencialmente. No dia seguinte, mesmo jornalistas experientes pareciam histéricos, com uma ânsia maior do que a costumeira, numa espécie de corrida para dar primeiro a informação definitiva sobre Lula no governo. Kennedy Alencar e Andreia Sadi chegaram a dar como certa naquele mesmo dia: Lula era o novo ministro-chefe da Casa Civil. Mas todos foram dormir na dúvida se haviam dado uma "barriga" (quando uma informação improcedente é publicada) ou um "furo" (a notícia em primeira mão).

Lula iria para a Casa Civil, era verdade, mas tanto ele quanto Dilma aguardavam o melhor momento para confirmar a notícia. Ainda mais com aquele pedido de prisão preventiva. Nenhum dos dois queria passar a ideia de uma nomeação justificada pelo foro privilegiado que um ministro de Estado conseguia. Havia, no entanto, um ponto fora da curva: daquela vez, as reações contrárias ao pedido foram quase unânimes, algo dissonante da tendência habitual do noticiário antigovernista. Na síntese da manchete do jornal O Globo: "MP pede prisão de Lula; oposição sugere cautela". Com direito a outra manchete na primeira página, na qual destacava a avaliação de promotores e procuradores ouvidos pelo jornal. O pedido era classificado como "erro grave". O Estadão fazia o vínculo direto entre o pedido de prisão e a ida de Lula para o governo. "Promotoria pede prisão de Lula e dificulta ida para o Ministério". Nomes improváveis criticavam o pedido: Eliane Cantanhêde, Merval Pereira e Reinaldo Azevedo. Mas havia uma razão para aquela cautela.

Na avaliação de muitos críticos do governo, os promotores de São Paulo estavam enfraquecendo a Lava Jato e fortalecendo o que consideravam discurso de vitimização do ex-presidente.

O dia 13 de março, um domingo, chegaria com protestos espalhados por todo o país. Brasília, Rio de Janeiro e São Paulo viram a praça dos Três Poderes, a orla da praia de Copacabana e a avenida Paulista lotadas. Houve manifestações em 326 cidades – 3,6 milhões de pessoas, segundo as polícias militares (sem contar o Rio, onde a PM não contabilizava os protestos). Gritaram palavras de ordem contra a corrupção, a presidente Dilma, o ex-presidente Lula e o PT. Mas não defendiam o PSDB, Aécio Neves, Geraldo Alckmin ou outro político. Os homenageados do dia eram Sergio Moro, o Ministério Público e a Polícia Federal. Máscaras do juiz, enormes cartazes com o rosto dele e faixas com dizeres "Somos Moro" reforçavam a fama conquistada e celebrada pelo juiz. A presidente acompanhou tudo pela TV, no Palácio da Alvorada, onde recebia e-mails de atualização, além de relatórios preparados pela área digital da Secretaria de Comunicação Social da Presidência. O dia seguinte veria novamente Sergio Moro ganhar protagonismo: a juíza Maria Priscilla, de São Paulo, decidiu encaminhar para ele a denúncia contra Lula. Considerava que os crimes em questão eram federais e já havia investigação em curso sobre o caso na Justiça Federal de Curitiba. Caberia a ele decidir sobre o pedido de prisão do ex-presidente.

Na quarta-feira, Dilma e Lula tomaram café da manhã juntos. Ele temia ser preso. Ela o convidara para o governo. Ele temia passar a ideia de que estava fugindo de Sergio Moro e buscava proteção no STF. Ela insistiu na importância de tê-lo no governo. Pouco antes do almoço, informou-se que Lula iria para a chefia da Casa Civil. O ex-presidente temia passar a ideia de admissão de culpa, mas as pressões foram imensas. Aí surgiram novos erros, cometidos pelo líder do governo na Câmara, o deputado cearense José Guimarães, e pelo presidente do PT, Rui Falcão. Guimarães fez o primeiro anúncio de que Lula aceitara o convite, num post que informava que a posse ocorreria na terça-feira seguinte, dia 22. A notícia e a data logo foram confirmadas por Falcão, que chamou Lula de "Ministro da Esperança". A informação da terça-feira custaria caro ao governo. Naquela tarde, a presidente deu uma entrevista coletiva confirmando o novo ministro. Houve no Palácio quem lhe sugerisse fazer um anúncio mais litúrgico – considerava-se que se tratava de um ex-presidente da República e líder maior do PT e da esquerda; era preciso mais pompa e circunstância do que uma rápida entrevista de Dilma. Não colou.

Na entrevista, a presidente informava que Lula teria "os poderes necessários" para ajudar o governo federal. "A minha relação com ele é sólida, uma relação de quem constrói um projeto. Ele, no meu governo, terá os poderes necessários para ajudar o Brasil", declarou, negando que Lula teria imposto condições para assumir a pasta. Outro questionamento: a decisão de Lula teria a ver com o foro privilegiado e, portanto, estar livre do juiz Sergio Moro? "[O foro] não significa que um ministro, deputado ou senador não seja investigado. Significa por quem ele é investigado. Como dizer que a investigação do juiz Sergio Moro é melhor que a investigação do STF? Isso é uma inversão de hierarquia." Foi uma bela resposta numa boa entrevista. Ela estava segura e afiada.

Manifestantes se dirigiam ao Palácio do Planalto para protestar contra o anúncio daquela tarde quando uma nova bomba estourou no colo da presidente, de Lula, dos ministros, dos seus assessores: por volta das 17h30, as TVs do Palácio tinham espectadores em choque diante do que viam na GloboNews: as vozes de Dilma e Lula eram exibidas e reexibidas continuamente, num diálogo gravado pela Polícia Federal e com divulgação autorizada pelo juiz Sergio Moro. O espanto era duplo: primeiro, uma conversa interceptada de uma presidente e um ex-presidente da República; segundo, o diálogo ocorrera poucas horas antes, às 13h32. Moro se apressara para divulgá-lo à Globo.

Dilma: "Alô."

Lula: "Alô."

Dilma: "Lula, deixa eu te falar uma coisa."

Lula: "Fala querida. Ahn."

Dilma: "Seguinte, eu tô mandando o 'Bessias' junto com o papel pra gente ter ele, e só usa em caso de necessidade, que é o termo de posse, tá?!"

Lula: "Uhum. Tá bom, tá bom."

Dilma: "Só isso, você espera aí que ele tá indo aí."

Lula: "Tá bom, eu tô aqui, fico aguardando."

Dilma: "Tá?!"

Lula: "Tá bom."

Dilma: "Tchau."

Lula: "Tchau, querida."

Assistíamos àquilo ali entre choque, espanto e lamento. Era algo certo: uma nova crise desabaria sobre nossas cabeças no Palácio do Planalto. O áudio seria repetido por horas na TV e, juntamente com a transmissão do início dos protestos naquele fim de tarde, resultaria num impacto tremendo na mobilização de multidões. Seria uma noite de mais protestos contra o governo, contra Dilma, contra Lula e contra o PT. "É bom você vir pro Alvorada", disse-me a presidente, ao sair mais cedo do Palácio do Planalto para escapar dos protestos do fim da tarde. Foi uma das noites mais tensas de toda a crise enfrentada no governo – da economia ao impeachment.

No Alvorada era preciso desenhar a estratégia para responder às gravações. Nas horas seguintes à divulgação, descobriu-se o roteiro traçado por Moro. Ele autorizara a Polícia Federal a grampear o ex-presidente Lula. As gravações foram feitas entre 17 de fevereiro e 16 de março. A conversa entre Lula e Dilma ocorreu às 13h32 da quarta-feira, 16 de março. No horário, Sergio Moro já havia determinado o fim das escutas contra o ex-presidente. Havia, portanto, dois questionamentos a fazer: a divulgação, por um juiz federal, de uma conversa telefônica de uma presidente da República e uma interceptação fora do prazo autorizado para a escuta.

Tudo foi demasiadamente rápido naquele dia. Pela manhã, Lula e Dilma decidiram seu ingresso no governo. Pouco depois das 11 horas, o juiz Sergio Moro suspendeu várias interceptações telefônicas, inclusive a do celular que Lula usava. Passados alguns minutos, a ida de Lula para a Casa Civil foi anunciada. Às 13h32, Dilma telefonou a Lula, avisando que estava remetendo "o termo de posse", para usá-lo "em caso de necessidade". Às 15h34, a Polícia Federal informou que ouviu a conversa e, às 16h19, Moro retirou o sigilo que protegia tanto a investigação como os grampos. Às 18h40 o diálogo foi ao ar.

Jamais se ouviria qualquer admissão em público sobre isso, mas quando a presidente nomeou o ex-presidente para chefiar a Casa Civil, sabia que, na prática, estava blindando-o. Lula seria a salvação para o governo, mas a sua blindagem era também uma consequência daquela decisão. Quando Moro aceitou o grampo feito depois de ter determinado a suspensão das interceptações, também sabia que o curto diálogo incendiaria o debate.

No Alvorada estavam os ministros José Eduardo Cardozo, Ricardo Berzoini, Jaques Wagner, Edinho Silva e Aldo Rebelo, o assessor especial Gilles Azevedo, o chefe de Assuntos Jurídicos da Casa Civil, Jorge Messias (que ficaria famoso por aparecer na transcrição da gravação como "Bessias"), deputados aliados com conhecimento jurídico, conselheiros da presidente. Dilma estava furiosa, mas serena e firme. Foi uma noite de reviravoltas. Nada menos do que três mensagens foram transmitidas aos jornalistas.

A primeira nota redigida acusava "flagrante violação da lei e da Constituição cometida pelo juiz autor do vazamento". Dizia ainda: "Em que pese o teor republicano da conversa, [a nota] repudia com veemência sua divulgação que afronta direitos e garantias da Presidência da República", mencionando que "todas as medidas judiciais e administrativas cabíveis" seriam adotadas. A nota informava ainda que a cerimônia de posse do novo ministro estava marcada para as 10 horas do dia seguinte, quinta-feira, no Palácio do Planalto, em ato conjunto, quando tomariam posse os novos ministros da Justiça (Eugênio Aragão), Aviação Civil (Mauro Lopes) e ministro-chefe do Gabinete Pessoal da Presidência da República (novo posto criado para abrigar Jaques Wagner, que deixava a Casa Civil para Lula assumir). E esclarecia: uma vez que o novo ministro, Luiz Inácio Lula da Silva, não sabia ainda se compareceria à cerimônia de posse coletiva, a presidente da República encaminhou para a sua assinatura o devido termo de posse. Este só seria usado caso confirmada a ausência do ministro. Marisa estava doente e hospitalizada, e por isso ele poderia não comparecer à cerimônia. Em síntese, a nota mostrava que se tratava de um trâmite burocrático preventivo.

Alertei para o questionamento inevitável que surgiria sobre a data da posse. E aqui se pecou pela pressa – ou erro – de José Guimarães e Rui Falcão em antecipar a data de 22 de março, a terça-feira seguinte, para a posse de Lula. O alerta se cumpriu: vários repórteres perguntaram sobre as diferenças de data (o dia 17 foi mencionado pela primeira vez na nota daquela noite). Um: se estava prevista inicialmente para o dia 22 de março, por que fora antecipada, especialmente se havia dúvidas sobre o possível comparecimento de Lula? Dois: por que a edição extra de um *Diário Oficial da União* na noite de 16 de março com a nomeação do novo ministro da Casa Civil? Por que não publicar a nomeação normalmente no dia da posse? Foram perguntas que ficaram sem resposta. O ministro Edinho Silva ainda tentou esboçar uma reação à primeira: de fato, originalmente se programara o dia 22, mas diante da constatação de que os outros ministros também tomariam posse, resolveu-se antecipar.

A pedido da presidente, disparou-se um segundo e-mail para os jornalistas: uma cópia do termo de posse assinado apenas pelo ex-presidente Lula. Essa foi fácil de argumentar. Afinal, um termo de posse sem a assinatura da presidente não tinha valor legal. Por que então Dilma mandaria o termo para ele ter em mãos se o objetivo fosse obstruir a Justiça e assegurar legalmente a posse dele em caso de decretação de prisão? Era a prova de que não teria havido nenhuma tentativa de obstrução da Justiça, pois sem a assinatura dela o documento de nada valia.

Na manhã seguinte, 17 de março, o Salão Nobre do Palácio do Planalto estava lotado para a posse dos ministros, especialmente a de Lula. O ex--presidente havia ido a São Paulo na noite anterior, onde Marisa estava hospitalizada, e chegou pela manhã de volta a Brasília. "O dia vai ser animado", comentou a presidente ao vê-lo no Palácio do Planalto. Ela já sabia dos protestos, contrários e favoráveis, àquela posse. Do lado de fora do Palácio, manifestantes entraram em confronto. No salão onde ocorreria a cerimônia de posse, era possível ouvir a manifestação do lado de fora. Um lado gritava: "Lula, ladrão, seu lugar é na prisão." E tentava passar pela barreira policial montada. Carros fizeram buzinaço em frente ao Congresso Nacional. O trânsito ficou bloqueado na descida para o Planalto. Do lado de dentro, euforia e emoção com a chegada de Lula ao governo.

Dilma e ele desceram juntos a rampa que leva ao Salão, sob aplausos entusiasmados e gritos do "olê, olê, olê, olá, Lula!" de representantes de movimentos sindicais, sindicatos, parlamentares da base de apoio do governo e ministros. Era um momento de grande emoção no Palácio. Em seu discurso, a presidente defendeu a entrada de Lula no governo e negou com vigor que a nomeação tivesse o objetivo de lhe assegurar foro privilegiado. Ela também mostrou o termo de posse divulgado na noite anterior, assinado apenas por Lula – era a prova, reafirmava Dilma, de que não teria havido nenhuma tentativa de obstrução de Justiça, pois sem a assinatura da presidente o documento não tinha valor legal. Sem citar o nome do juiz Sergio Moro, ela atacou duramente a operação:

> Não há justiça quando as declarações são tornadas públicas, de forma seletiva, para execração de alguns investigados, e quando depoimentos são transformados em fatos espetaculares. Não há justiça quando as leis são desrespeitadas e, eu repito, a Constituição, aviltada. Não há justiça para os cidadãos quando as garantias constitucionais da própria Presidência da República são violadas.

Um juiz de primeira instância poderia interceptar e divulgar uma conversa telefônica de um presidente da República? Ou ele teria usurpado a competência do Supremo Tribunal Federal e colocado em risco a soberania nacional?

Ainda que Moro tenha argumentado que o telefone grampeado era o que Lula usava, e não o da presidente, a polêmica estava aberta: nesses casos, lembraram a presidente e o ministro José Eduardo Cardozo na noite anterior, no Alvorada, seria natural o juiz riscar as transcrições do áudio gravado dos autos da investigação. Moro não fizera isso. Ao contrário, ao receber as transcrições, imediatamente as divulgara. E sua explicação foi uma ofensa à inteligência alheia, como definiu o insuspeito jornalista Elio Gaspari. Falando sobre sua decisão de incluir o "evento 133", que grampeou a conversa de Dilma com Lula, o juiz afirmou: "Não havia reparado antes no ponto, mas não vejo maior relevância."

Em seu discurso, Dilma ainda fez um carinho público no ex-presidente:

> A disposição do querido companheiro Lula de fazer parte do meu governo mostra como estão e sempre estiveram enganados aqueles que sempre, nos últimos cinco anos, cinco anos e alguns meses, apostaram na nossa separação. Nós sempre estivemos juntos, pois temos em comum algo extremamente importante, que é a consciência de um projeto para o Brasil, um projeto extremamente generoso para o Brasil, que olha, sobretudo, para o seu povo, para aquela parcela do povo que é a mais sofrida, que sempre foi a grande maioria da população excluída dos benefícios da riqueza desse imenso e maravilhoso País. Nós sempre estivemos perto; eu tenho orgulho de ter trabalhado como ministra--chefe da Casa Civil, e antes ministra de Minas e Energia do presidente Lula nos oito anos que ele comandou o Brasil. Nós sempre estivemos do mesmo lado, e, a partir de agora, novamente trabalharemos lado a lado. Sempre lutamos pelos brasileiros, governamos pensando no melhor para os brasileiros. Pelos brasileiros nós estamos juntos outra vez.

A presidente falou sobre os grampos e declarou que pediria uma investigação completa sobre o que ela classificou como "grampo ilegal", ou seja, a interceptação telefônica a que chamou de "vazamentos seletivos": "Agora estaremos avaliando com precisão as condições desse grampo que envolve a Presidência da República. Nós queremos saber quem o autorizou, por que o autorizou e por que foi divulgado quando ele não continha nada. Nada, eu repito, que possa levantar qualquer suspeita sobre o seu caráter republicano. Equívocos, investigações baseadas em grampos ilegais não favorecem a democracia neste país." Dilma defendeu ainda a liberdade de expressão: "Há um Brasil que respeita os direitos individuais. Há um Brasil das instituições democráticas. Esse Brasil, que luta contra a corrupção, respeita as instituições democráticas e os direitos individuais, está comprometido com o crescimento e a inclusão de todos os cidadãos. E esse Brasil conta com o nosso trabalho e nossa determinação."

Métodos escusos e práticas criticáveis foram duas expressões usadas pela presidente para sublinhar o seu temor de que poderiam levar à realização de um golpe contra ela. "Convulsionar a sociedade brasileira em cima de inverdades, métodos escusos e práticas criticáveis viola princípios e garantias constitucionais e os direitos dos cidadãos. E abrem precedentes gravíssimos. Os golpes começam assim." Aquele trecho demarcaria o tom dos discursos a partir dali: "Não vai ter golpe" virou grito de guerra e mote nas redes sociais.

Enquanto isso, Sergio Moro via sua imagem arranhada ferozmente. Uma declaração do ministro do Supremo Teori Zavascki sintetizaria, no dia seguinte, 18 de março, a dimensão do temor diante dos excessos cometidos pelo juiz. Disse Zavascki: "Em uma hora como esta em que estamos vivendo, uma hora de dificuldades para o país, uma hora em que as paixões se exacerbam, é justamente nestas horas, mais do que nunca, que o Poder Judiciário tem que exercer seu papel com prudência, serenidade, com racionalidade, sem protagonismos, porque é isso que a sociedade espera de um juiz. O papel dos juízes é resolver conflitos, não criar conflitos."

Novas surpresas chegariam: depois de mais de 1 milhão de pessoas irem às ruas protestar em favor de Lula, Dilma e o governo, o ministro do Supremo Gilmar Mendes suspendeu a nomeação do novo ministro da Casa Civil. Disse ter visto intenção do ex-presidente de obter foro privilegiado. Gilmar Mendes, um notório adversário do governo, sepultava ali os planos da presidente de tornar Lula ministro e ajudá-la a superar a crise. No fim de abril, duas semanas antes de ser afastada, a presidente diria a Christiane Amanpour, correspondente-chefe da TV CNN para assuntos internacionais: "A ajuda do ex-presidente Lula como ministro-chefe da Casa Civil teria sido fundamental para evitar a abertura do processo de impedimento." Segundo ela, seus adversários fizeram de tudo para evitar a posse do ex-presidente com "alegações absurdas". E concluiu: "Não deixaram porque sabem que ele nos fortaleceria."

Capítulo 22

A DESTEMPERADA

A presidente Dilma Rousseff andava nervosa de um lado para o outro do seu gabinete. "Isso não ocorreu!" Batia com as mãos sobre a mesa. "Que mentira!" Sentava-se no braço de um dos sofás, levantava-se de novo. "Filho da puta..." Até que, olhando para mim e o ministro Jaques Wagner, recomendou: "Vamos rebater ponto a ponto, linha por linha." Ali, pouco depois das 10 horas da manhã do dia 3 de março de 2016, ela acabara de receber de nossas mãos, de maneira praticamente simultânea, uma versão impressa de uma nova bomba lançada pelo senador Delcídio do Amaral. Em cerca de 13 mil caracteres disponibilizados em sua versão on-line, a revista *IstoÉ* divulgava o documento de acordo de delação premiada negociada pelo senador. Com o título "A delação de Delcídio" e assinada pela repórter Débora Bergamasco, a matéria reproduzia trechos da delação negociada com a força-tarefa da Operação Lava Jato pouco antes de deixar a prisão, em 19 de fevereiro, em "revelações" que, segundo a publicação e o senador, complicavam "de vez" a situação de Dilma e comprometiam o ex-presidente Lula. Era o furo do ano.

O nervosismo aparentado por Dilma não parecia ser de temor, mas de fúria – como sempre ocorria nesses momentos de confrontação com uma notícia grave, a presidente não se encolhia; ao contrário, partia para cima, com agressividade. Ela havia comandado uma rápida cerimônia minutos antes, dando posse aos novos ministros da Advocacia-Geral da União (José Eduardo Cardozo), Controladoria-Geral da União (Luiz Navarro) e Justiça (Wellington César Lima e Silva, que permaneceria poucos dias no cargo, por ordem da Justiça, porque era membro do Ministério Público da Bahia e, portanto, não poderia ocupar o posto de ministro). E teria de interromper as conversas sobre a delação da *IstoÉ* porque receberia a equipe olímpica de ginástica artística. Foi a contragosto. Mas antes insistiu: "Vamos rebater. Isso não fica em pé", disse, tentando passar tranquilidade.

Tranquilidade em parte, claro. Àquela altura, as respostas pessoais da presidente, dos ministros e do governo em geral pareciam ter pouca força para estancar a crise que se avolumava dia a dia. Tampouco freavam novos vazamentos: investigações em curso surgiam quase diariamente na imprensa, suspeitas eram lançadas por procuradores e investigadores da Polícia Federal como verdades conclusivas, e acordos de delação, ainda não homologados, passíveis de confirmação e protegidos por segredo de Justiça e restrições de confidencialidade, escancaravam-se nas páginas de jornais, sites e revistas e nas telas de TVs.

Era o caso daquela reportagem sobre Delcídio, segundo a qual Dilma tentara, por três ocasiões, interferir na Lava Jato, com a ajuda do ministro José Eduardo Cardozo. A terceira dessas tentativas teria incluído pessoalmente o próprio Delcídio. Segundo o senador, Dilma nomeara o desembargador Marcelo Navarro Ribeiro Dantas ministro do Superior Tribunal de Justiça visando interferir nos rumos da operação. Ela teria se reunido com o presidente do Supremo Tribunal Federal, Ricardo Lewandowski, com o mesmo objetivo. O nomeado cuidaria dos *habeas corpus* e recursos da Lava Jato no STJ. Na semana de definição da estratégia, disse Delcídio, ele teria estado com a presidente no Palácio da Alvorada para uma conversa a dois: nos jardins do Palácio, Dilma teria solicitado que ele, na condição de líder do governo, conversasse com Navarro pra confirmar o compromisso de soltura de Marcelo Odebrecht e Otávio Marques de Azevedo, da construtora Andrade Gutierrez.

Delcídio contou ainda que os empreiteiros de Belo Monte pagaram propina para financiar campanhas eleitorais de Dilma em 2010 e 2014. Afirmou que ela tinha "pleno conhecimento" de todo o processo de aquisição da refinaria de Pasadena, nos Estados Unidos, compra envolta em suspeita de superfaturamento. Dilma ainda teria sido decisiva, segundo Delcídio, para a nomeação de Nestor Cerveró ao posto de diretor da área Internacional da Petrobras. A reportagem da *IstoÉ* ainda exibia o senador acusando o vice-presidente Michel Temer de ser ligado a um dos operadores presos, João Augusto Henriques, e ao ex-diretor da Petrobras Jorge Zelada. Sobre Aécio Neves, disse que ele estaria envolvido num esquema de recebimento de propinas em Furnas e que os dados fornecidos pelo extinto Banco Rural à CPI dos Correios – presidida à época por

Delcídio – atingiriam o senador tucano se não tivessem sido "maquiados" pela instituição financeira.

As manchetes daquela manhã do dia 3 de março, no entanto, davam destaque, previsivelmente, às denúncias contra a presidente e contra o ex-presidente Lula – a quem o senador envolvia, entre outras acusações, em tramas destinadas a comprar o silêncio de testemunhas, do publicitário Marcos Valério na época do chamado mensalão, em 2006, a Nestor Cerveró, em 2015. Foi com as primeiras repercussões que a presidente foi para a cerimônia de posse dos novos ministros. Ao retornar ao seu gabinete, fez o que sempre fazia nesses momentos: convocou ministros e auxiliares mais próximos para discutir o assunto e definir uma estratégia de resposta. Além de Jaques Wagner, iriam ao seu gabinete naquela manhã Ricardo Berzoini, José Eduardo Cardozo e o assessor especial Gilles Azevedo. "Temos de mostrar que as declarações são mentirosas e que um vazamento desse tipo é crime", reforçou a presidente. "Falta materialidade", complementou um dos ministros. "A delação pode ser anulada em razão da publicidade do conteúdo. O sigilo é um pré-requisito para a homologação das declarações pelo STF", informou o ministro Cardozo.

A estratégia definida era: a) descredenciar o senador Delcídio do Amaral, mostrando que em outras ocasiões ele já havia falado mentiras e, portanto, não exibia qualquer credibilidade para oferecer denúncias como aquelas; b) o vazamento de sua delação, antes de homologada, constituía crime, o suficiente para anulá-la; c) refutar, "ponto a ponto", como a presidente recomendara, cada acusação feita contra ela. Um dos ministros combinaria com o Instituto Lula que o Palácio do Planalto se concentraria em responder às denúncias contra Dilma, e o instituto focaria nas acusações contra o ex-presidente. Uma nota seria produzida ao longo do dia e divulgada no início da noite. José Eduardo Cardozo e Jaques Wagner falariam com a imprensa. O resultado final da nota acabou deixando de lado o "ponto a ponto": preferiu-se atacar o descredenciamento de Delcídio e o vazamento de sua delação. Seria mais eficiente do que se perder em detalhes – isto se poderia fazer num segundo momento.

Dizia a nota, assinada pessoalmente pela presidente:

> Todas as ações de meu governo têm se pautado pelo compromisso com
> o fortalecimento das instituições de Estado, pelo respeito aos direitos

individuais, o combate à corrupção e a defesa dos princípios que regem o estado democrático de direito. (...) Os vazamentos apócrifos, seletivos e ilegais devem ser repudiados e ter sua origem rigorosamente apurada, já que ferem a lei, a justiça e a verdade. (...) Esses expedientes não contribuem para a estabilidade do País.

O ministro José Eduardo Cardozo abordou um aspecto da denúncia que poucos deram a atenção devida: "Jamais houve qualquer interferência [na nomeação para os tribunais]. A postura foi sempre de independência. Os réus estão presos. Que articulação é essa?", disse o ministro. Jaques Wagner atacou a baixa taxa de credibilidade de Delcídio: "Não vi muita consistência lá. Tem muita poeira e pouca materialidade", afirmou o ministro da Casa Civil. "Alguém viu uma prova ali? Não. Eu só vi suposições, onde ele próprio é o delator e a testemunha." Jaques ainda questionou a veiculação do conteúdo pela revista, por se tratar de uma delação premiada não homologada. A delação premiada perdia assim seu valor; passara a servir para "linchamento público". Todos aqueles que falaram com jornalistas naquele dia, em entrevistas ou conversas nos bastidores, ressaltaram o tom de indignação com que a presidente recebera a divulgação das denúncias de Delcídio. Mas o estrago estava feito: naquele mesmo dia, líderes do PSDB e do DEM pediram a renúncia da presidente. Delcídio negou qualquer acordo de delação premiada (que se confirmaria duas semanas depois) e uma crise muito maior – a da posse do ex-presidente Lula como ministro da Casa Civil – estava por vir.

Tanto se questionou inicialmente a publicação pela *IstoÉ* que o centro do debate, naquele dia, se tornou a própria revista – e também a autora da matéria. O primeiro estranhamento: quem teria vazado o conteúdo da delação de Delcídio para a repórter Débora Bergamasco. E por que para Débora? A questão se justificava pelo fato de ela não estar no time de repórteres que acompanhavam investigações como aquela. O segundo ponto: a repórter assinava a matéria de Curitiba, mas o acordo de delação de Delcídio corria em Brasília, na Procuradoria-Geral da República e no Supremo Tribunal Federal, não em Curitiba, onde operava a força-tarefa da Lava Jato. O terceiro estranhamento: por que a *IstoÉ* havia antecipado tanto a publicação de sua reportagem de capa? Habitualmente o conteúdo das revistas semanais se torna público na noite de sexta-feira ou mesmo na manhã de sábado. Naquela semana, no entanto, a *IstoÉ* antecipava para a manhã de quinta-feira. Alguns dias antes, se intensificara o debate sobre a chegada do ex-presidente Lula ao governo. Com aquele vazamento e a antecipação, pela revista, de sua capa da semana, começou a circular o boato de que uma nova fase da Lava Jato ocorreria na sexta-feira. Lula seria o alvo e poderia estar preso no dia seguinte.

Somando todos os estranhamentos, hipóteses, suspeitas e especulações, chegou-se ao nome do ministro José Eduardo Cardozo. Pouco tempo antes ele havia anunciado a sua saída do Ministério da Justiça (e tomava posse na Advocacia-Geral da União no mesmo dia em que a *IstoÉ* publicava "A delação de Delcídio"). Cardozo jogara a toalha no ministério, pressionado pelo PT, pelo ex-presidente da República e por muitos defensores de Lula e de Dilma por, supostamente, não impedir o avanço desenfreado da Lava Jato, com todos os seus excessos e ataques ao governo, ao partido e aos dois principais líderes da esquerda. O ministro da Justiça é também, funcionalmente, o chefe da Polícia Federal, principal braço da operação. Segundo as especulações daquele 3 de março, a desistência tinha uma razão especial: ele tomara conhecimento de que algo pesado viria contra Lula e não queria estar à frente da Justiça quando a bomba definitiva chegasse ao ex-presidente. No roteiro, o ministro teria repassado à repórter a parte da delação de Delcídio que chegara às suas mãos, por vingança contra Lula. Segundo tal roteiro, ele não teria visto problema em complicar Dilma: os assuntos em que ela aparecia citada eram, em grande parte, públicos, e a presidente responderia com tranquilidade àquelas denúncias.

O jornalista Janio de Freitas, da *Folha de S.Paulo*, foi quem melhor definiu as suspeitas que percorriam gabinetes e corredores do Palácio do Planalto naquele momento. Num artigo intitulado "Isto foi" (com sua ironia fina habitual, Janio se referia à revista que publicara parte do acordo do senador com a Lava Jato), ele escreveu:

> O que se passou de quinta (3) para a sexta (4) passadas não foram ocorrências desconectadas. Foram fatos combinados para eclodirem todos de um dia para o outro, com preparação estonteante no primeiro e o festival de ações no segundo. O texto preparado na Lava Jato para entrega ao Supremo Tribunal Federal, como compromisso de delação de Delcídio do Amaral, está pronto desde dezembro. À espera de determinada ocasião. Por que a intermediação para o momento especial foi da *IstoÉ*, desprezada

pela Lava Jato nos dois anos de sua associação com *Veja* e *Época*? É que estas duas, na corrida para ver qual acusa e denuncia mais, costumam antecipar na internet os seus bombardeios. A Lava Jato desejava que a alegada delação de Delcídio só fosse divulgada na quinta-feira, véspera das ações planejadas. A primeira etapa funcionou sem falhas, até para *IstoÉ* lembrar-se de si mesma.

As ações mencionadas no artigo foram a condução coercitiva de Lula e as invasões do Instituto Lula e do sítio em Atibaia. Tudo com base numa razão assim exposta uma semana antes pelo procurador Carlos Fernando dos Santos Lima, ao falar da obra do sítio: "Eu desconfio [da relação entre Lula e empreiteiras]." Dilma, ministros e auxiliares pensavam como Janio de Freitas, que escreveu: "Procurador e policial que desconfiam não vão para os jornais. Vão trabalhar. Para esclarecer sua desconfiança e dar ao país informações decentes."

Outro estranhamento corrente entre os dias 3 e 4 de março observava uma situação curiosa: quando as gravações do filho de Nestor Cerveró vieram a público, Delcídio do Amaral foi tratado como parlapatão. Suas promessas de intervenção junto a ministros do Supremo Tribunal Federal para livrar o ex-diretor da Petrobras foram vistas como opereta de um bufão. O mesmo Delcídio tratado assim pelo que disse ao Cerveró filho merecia crédito absoluto quando incriminador de Dilma e Lula e voltava a ser declarante desprezível ao negar as incriminações – o senador divulgou nota, naquele dia 3, negando o conteúdo da revista e a existência de um acordo de delação; fazia isso por necessidade jurídica, mas os grandes jornais, mesmo sem saber se verdadeira ou não a sua nota, deram-lhe pouco ou nenhum destaque.

A trama em torno da publicação da reportagem envolvia segredos de alcova: o ministro José Eduardo Cardozo não só seria a fonte da *IstoÉ* como escolhera Débora Bergamasco por ambos terem um caso amoroso. Recém--separada de Marcelo Moraes, o diretor da sucursal do jornal *O Estado de S. Paulo* em Brasília, Débora seria a namorada de Cardozo, de quem fora assessora de imprensa antes de trabalhar na *IstoÉ*. Enquanto muitos – para não dizer todos – jornalistas que me procuraram naquele dia mencionavam os boatos em torno da repórter e do ministro, o site Diário do Centro do Mundo atravessou a divisa silenciosa da privacidade e publicou as suspeitas envolvendo os dois. O título: "O que se fala em Brasília sobre os bastidores da delação de Delcídio".

Foi um dia cruel para Débora Bergamasco e duro para José Eduardo Cardozo. A outros ministros, Cardozo refutou a trama. "Já conquistei muitas jornalistas sem ter tido o mérito e o benefício", disse a pelo menos um dos seus colegas no governo (Cardozo sempre teve fama de conquistador). Débora recusou as suspeitas com ênfase, creditando-as à demonstração de preconceito por ela ser mulher e bonita e à inveja de ter dado o furo que muitos gostariam de dar. "É a primeira vez que me vi diante de um machismo desta magnitude", disse à revista *Imprensa*. Diversas jornalistas mulheres, de Brasília, São Paulo e outros lugares do país, demonstraram apoio a ela em mensagens nas redes sociais. Representantes feministas também. Mas o fato é que o assunto correu – e corroeu – Brasília naquele dia. E chegou ao gabinete da presidente.

No início da noite, indo ao terceiro andar do Palácio do Planalto para atualizá-la e checar os próximos passos, encontrei Dilma ao lado de Jaques Wagner, Ricardo Berzoini e Gilles Azevedo. Outros passavam por lá também. Jaques questionou: "Os repórteres estão perguntando sobre o José Eduardo e a repórter?" Ele queria sentir o termômetro em torno de uma possível nova crise no Palácio. Informei que todos mencionavam, mas ninguém chegara a publicar ou demonstrar qualquer inclinação a citar a possível origem da reportagem. Como era comum nesses casos de conversa ao pé do ouvido em seu gabinete, Dilma quis saber detalhes. Respondi-lhe em voz alta, de modo que todos os presentes ouviram. No que um deles comentou, com ironia e bom humor: "Essa é a parte mais verossímil de tudo o que saiu hoje", brincou. Levou um petardo da presidente: "Olhe aqui, você não fala isso por aí não, porque estão dizendo que o José Eduardo foi quem vazou para a repórter. Isso só nos prejudica." Dilma defendia Cardozo e, de quebra, mostrava o quanto confiava nele.

Curiosamente, a mesma Débora Bergamasco que ganhou a solidariedade feminina e feminista receberia ataques duros por uma nova capa da *IstoÉ*: "As explosões nervosas da presidente" era o título na capa que levava a um texto assinado por ela e pelo repórter Sérgio Pardellas – "Uma presidente fora de si", sobre os bastidores do Palácio do Planalto. Na tese da revista, a iminência do afastamento da Presidência fizera com que Dilma "perdesse o equilíbrio e as condições emocionais para conduzir o país". Falava em "surtos de descontrole", "quebra de móveis dentro do Palácio", gritos contra subordinados, xingamento de autoridades. Um dos trechos: "Assessores palacianos, mesmo os já acostumados com a descompostura presidencial, andam aturdidos com o seu comportamento às vésperas da votação do impeachment pelo Congresso. Segundo relatos, a mandatária está irascível, fora de si e mais agressiva do que nunca."

Em síntese, a reportagem definia a presidente como uma mulher histérica e descontrolada. Depois de acusar as críticas recebidas pela reportagem sobre Delcídio como exemplo de machismo e preconceito, a acusação retornou ao ponto de partida: a nova capa da *IstoÉ* era um exemplo de machismo e misoginia. Ia além do aceitável, no entendimento do Palácio, mesmo entre aqueles que se incomodavam ardorosamente com a rudeza de tratamento recebido por Dilma: "Para tentar aplacar as crises, cada vez mais recorrentes", escreveu a revista, "a presidente tem sido medicada com dois remédios ministrados a ela desde a eclosão do seu processo de afastamento: Rivotril e Olanzapina, este último usado para esquizofrenia, mas com efeito calmante". Em outro momento, comparava Dilma à rainha Maria I, a Louca: "Não é exclusividade de nosso tempo e nem de nossas cercanias que, na iminência de perder o poder, governantes ajam de maneira ensandecida e passem a negar a realidade", mencionando a observação do psiquiatra que cuidou da primeira mulher a sentar no trono de Portugal, o britânico Francis Willis, para quem os sintomas de sandice e negação da realidade manifestados por Maria I se agravaram na medida em que ela era colocada sob forte pressão.

A reportagem somou a tese original – na iminência de ser afastada, Dilma estava louca e promovia sandices agressivas – a retalhos de episódios do passado (bem distantes do processo de impeachment em curso quando aquela capa foi publicada) e mitos difundidos sobre o comportamento da presidente. Pegou fotos antigas, ainda da campanha presidencial de 2014, para ilustrar o que seriam atitudes daquele 2016. Usou fontes não creditadas – "fontes do Palácio do Planalto", comum nesses casos, o que inviabilizava qualquer confirmação. Resultava numa peça não só machista e preconceituosa como também injusta: impressionava a quem trabalhava perto da presidente o modo como ela reagia à crise. Até os últimos instantes do seu governo, Dilma trabalhou incansavelmente. Em muitos momentos, mostrou-se mais serena e centrada. Seus momentos de fúria com ministros e assessores não eram nada diferentes do que sempre ocorrera no Palácio em cinco anos de comando.

No Twitter, a hashtag #IstoÉmachismo entrou para a lista dos assuntos mais comentados do dia. O coletivo feminista ThinkOlga, famoso pela campanha

"Chega de fiu-fiu", publicou um texto de repúdio e acusou a revista de estar praticando "GasLighting", violência emocional baseada na manipulação psicológica que leva a mulher e todos a seu redor acharem que ela enlouqueceu ou é incapaz: "Em meio ao conturbado momento político que vivemos", escreveu o coletivo, "essa é uma estratégia baixa e covarde para convencer a população de que Dilma não é confiável para estar no comando da nação por problemas psicológicos."

Embora irritada com a reportagem, mas acima de tudo triste pelo modo com que era apresentada ali, a presidente não quis emitir nota oficial. Deixou que a Advocacia-Geral da União divulgasse um comunicado, sublinhando "informações inverídicas" e "acusações levianas" e anunciando que pediria ao Ministério da Justiça a abertura de um inquérito para investigar supostos crimes de ofensa contra a presidente cometidos pela revista (em julho, Dilma ganharia o direito de resposta na Justiça Cível de Brasília). Mas a comunicação do governo aproveitou a deixa para criar um espaço nas redes sociais, sugerido por Keffin Gracher, diretor da área digital da Secretaria de Comunicação Social da Presidência. Era o #GovInforma, textos periódicos em que se refutava, com linguagem mais dura, algumas notícias publicadas na imprensa. "Escandalosa, leviana, sexista, covarde e risível", foi o texto preparado por nós a quatro mãos. Não havia por que levar a revista a sério. Prosseguiu: "Fazer isso seria tratar como jornalismo o que não é; seria conferir respeito ao que, no fundo, é inqualificável; seria pensar que algo ali pode ser crível e confiável, o que está muito longe de ser."

Era uma capa, isto sim, destemperada.

Capítulo 23

"Não vai ter golpe" x "In Moro we trust"

Foram quase três meses em que a presidente Dilma Rousseff esteve praticamente reclusa no Palácio do Planalto no início de 2016. Viagens eventuais intercalaram incontáveis reuniões de trabalho em seu gabinete. Desde que o presidente da Câmara, deputado Eduardo Cunha, acolhera o pedido de impeachment, em 2 de dezembro de 2015, os reveses se deram de maneira sistemática – as más notícias se estenderam quase diariamente. Aos olhos da imprensa e da população, o governo e a presidente pareciam acuados. Pesquisas internas entregues à Secretaria de Comunicação Social da Presidência e repassadas a ela já haviam alertado: a maioria dos brasileiros, seus eleitores ou não, via a necessidade de Dilma ir mais às ruas, sair do gabinete, apresentar-se ao país em defesa de si mesma e do governo. "Ela é honrada, mas falta um presidente", era a síntese das conclusões de quem respondia às pesquisas qualitativas encomendadas pela Secom. Aqui descobríamos um dado que pareceria um paradoxo diante da fama presidencial de ser ruim de retórica e de palanque: as sondagens sinalizavam que a população reagia positivamente ao ver as intervenções públicas de Dilma. Tinha-se a sensação de que havia alguém na Presidência. Uma líder. Dilma precisava, portanto, entrar mais no embate político das ruas e mostrar que havia um governo funcionando – apesar da sensação generalizada de inércia.

No fim de março, a presidente pareceu ter acordado: não só fez o seu mais duro discurso desde o início da crise como internamente concordou que o melhor a fazer era, a partir dali, percorrer o Brasil para liderar uma campanha em defesa da legalidade do seu mandato. Também executaria uma intensa agenda de inaugurações e entrega de obras. Simultaneamente, cresceria o número de manifestações favoráveis à preservação do seu mandato, em defesa da democracia e contra o impeachment – e os principais atos de apoio seriam transformados em peças de mobilização política. Era preciso mostrar que, diferentemente de Fernando Collor de Mello em 1992, naquele ano havia muita gente disposta a ir para as ruas defender Dilma Rousseff. E mais do que isso: defender as regras do jogo democrático.

Numa calorosa terça-feira de março, dia 22, Dilma foi dura ao argumentar que até ali não cometera crime de responsabilidade – único modo pelo qual poderia ocorrer o impeachment de um presidente da República legítima e democraticamente eleito. Ela aproveitou um evento no Palácio do Planalto, o "Encontro com Juristas pela Legalidade da Democracia", para dizer com firmeza: "Não cometi nenhum crime previsto na Constituição e nas leis para justificar a interrupção do meu mandato. Neste caso, não cabem meias palavras: o que está em curso é um golpe contra a democracia."

Diante de uma plateia formada por juristas, advogados, promotores e defensores públicos contrários ao seu impeachment e muito aplaudida em diversos momentos, a presidente descreveria o que pensava sobre o golpe, a palavra mais pronunciada no Palácio do Planalto entre o fim de março e meados de maio, quando ela foi afastada para sofrer o processo de impeachment: "Não importa se o golpe é por um fuzil, vingança ou a vontade política de alguns de chegar mais rápido ao poder. Esse é o tipo de uso inadequado de palavras que se usava contra nós para dizer que não havia preso político no Brasil quando a gente vivia nas cadeias espalhadas pelo país", afirmou, em referência ao período da ditadura militar. Em seu discurso, Dilma também respondeu às sucessivas especulações sobre uma eventual renúncia: "Eu jamais renunciarei", promessa feita inúmeras vezes e cumprida até a abertura formal do processo de impeachment no Congresso, em 12 de maio.

Dilma firmou ali os princípios que regeriam sua defesa no Congresso e nas ruas e tornou público o que decidira internamente poucas semanas antes: o combate ao impeachment se daria no Congresso, nas ruas e no Judiciário. "Não há nada concreto contra mim. Vamos mostrar isso", disse várias vezes. "Todos conhecem meus defeitos. Ser ladra não é um deles", disse em outros momentos. Havia uma série de argumentos jurídicos para mostrar a fragilidade do pedido de impeachment; outros tantos argumentos para revelar a natureza oportunista do processo, movido por um "pecado original", a vingança pessoal de Eduardo Cunha com o apoio de um vice-presidente que conspirava à luz do dia; e mais alguns para tornar clara a diferença de tratamento da imprensa e do Congresso em relação às acusações contra integrantes do governo, contra o PT e mesmo contra ela. Os vazamentos seletivos e o preconceito contra uma mulher no poder eram a faceta mais visível dessa diferença.

A presidente montou então dois grupos de trabalho, que atuariam em paralelo. Um gabinete de crise faria acompanhamento permanente dos movimentos políticos em curso, tanto da oposição quanto dos parlamentares. Apontaria dados e tendência dos votos. Nesse grupo estavam articuladores experientes instalados na Secretaria de Governo, na Casa Civil e na Secom. Um segundo gabinete de crise envolvia a comunicação e o relacionamento com a imprensa e com as redes sociais, incluindo os assessores dos ministros que davam expediente no Palácio do Planalto – Edinho Silva, Ricardo Berzoini e Jaques Wagner – e de outros ministros da Esplanada dos Ministérios que lhe pareciam estratégicos para a frente dupla concebida: combater o impeachment e mostrar que o governo governava. A esses dois grupos se somava a linha de frente jurídica, encabeçada pelo ministro José Eduardo Cardozo (Advocacia-Geral da União) e técnicos da Casa Civil, da AGU e do Ministério da Justiça. Era preciso dedicar-se à defesa jurídica, à contabilização de votos que seriam decisivos na Câmara dos Deputados – responsável por abrir ou não o processo – e à sedução popular, por meio de entregas de governo e mensagens fortes e simples para um tema complexo.

A tarefa, obviamente, não era nada fácil. Exibia barreiras que pareciam intransponíveis – na grande imprensa a batalha já estava perdida, o que não significa abdicar da luta. Jornais como *O Globo* se pronunciaram em editorial a favor do impeachment da presidente e sua substituição pelo vice-presidente Michel Temer. (Bem diferente de agosto do ano anterior, quando um surpreendente editorial cobrava responsabilidade da oposição por apostar no "quanto pior, melhor", e pedia uma conciliação em torno de alguns pontos da política econômica, de modo a fazer o Brasil sair da crise.) Em abril, na primeira edição de domingo, a *Folha de S.Paulo*, costumeiramente dura, porém menos enfática nas críticas, publicou um editorial que deixava clara a posição do jornal já no título: "Nem Dilma nem Temer". Segundo o editorial, a presidente perdera as condições de governar o país e, enquanto permanecesse no cargo, a nação seguiria crispada, paralisada. Dizia mais: a presidente constituía, naquele momento, o obstáculo à recuperação do país. A solução era a renúncia, defendia o editorial. Dela e do vice-presidente – que "não dispõe de suficiente apoio da sociedade" –, de modo a poupar o Brasil do trauma do impeachment. O editorial deixou indignados a presidente e seus ministros mais próximos.

Se na chamada grande imprensa a tarefa de convencimento da fragilidade jurídica do impeachment seria inglória, nas redes sociais havia um caminho virtuoso a seguir. Aparecia ali uma combinação de astros: o crescente endurecimento dos discursos da presidente, pregando a existência de um golpe, combinou-se à geração espontânea do movimento #nãovaitergolpe. As pesquisas internas e o monitoramento diário produzido pela equipe digital mostravam que, no campo fratricida das redes sociais, a batalha chegava a um quase empate (nada mau quando se lembrava que, na imprensa, o governo perdia de goleada).

Ainda no início do ano, chegou à repórter Júnia Gama, do *O Globo*, um documento com dez pontos destinados a defender a presidente. Baseava-se nos argumentos elaborados nas frentes jurídica, técnica, política e econômica e foi produzido pelo grupo de comunicação do gabinete de crise do impeachment, para oferecer argumentos à militância. Sem a assinatura do Palácio do Planalto, juntava trechos resumidos e sistematizados de defesas do coordenador jurídico da campanha à reeleição da presidente, o advogado Flávio Caetano; da nota técnica do Ministério do Planejamento sobre decretos não remunerados e sobre as chamadas pedaladas fiscais (base do pedido de impeachment); e de ideias já defendidas pela Advocacia-Geral da União.

O "decálogo anti-impeachment", como definiu *O Globo*, abarcava os seguintes pontos:

1) "Pecado original": o pedido foi acolhido sem justa causa, movido por um ato de vingança pessoal do presidente da Câmara dos Deputados.

2) O acolhimento foi feito por autoridade submetida a processo de investigação, no país e fora dele, por quebra de decoro parlamentar e diversos crimes comuns, entre os quais corrupção e lavagem de dinheiro. A abertura do processo de impeachment é oportunidade para desviar a atenção da opinião pública e da investigação criminal.

3) As situações postas não configuram crime de responsabilidade que possa ser imputado à presidente da República.

4) A decisão de "não aprovação" das contas do governo de 2014 pelo Tribunal de Contas da União tem caráter meramente opinativo e depende da avaliação do Congresso.

5) As contas de 2015 ainda não foram objeto de manifestação prévia do TCU.

6) Sem manifestação do Congresso, é impossível afirmar que houve efetiva e formal rejeição das contas do governo.

7) Não há ato de ofício da Presidência da República que determine ou operacionalize a concessão de subsídios econômicos a bancos públicos ou privados.

8) As pedaladas fiscais não configuram operações de crédito na forma da Lei de Responsabilidade Fiscal, e o TCU e o Congresso ainda não examinaram a responsabilidade dos agentes públicos envolvidos.

9) Os decretos não numerados que são objeto da acusação autorizam somente despesas discriminadas na LOA e na LDO e com orçamento aprovado pelo Congresso.

10) Os decretos não aumentaram o total das despesas da União que podiam ser executadas no Orçamento, apenas possibilitaram que os órgãos remanejassem recursos internamente.

A presidente passou a pregar contra o golpe em curso em todos os discursos, tornados quase diários a partir daquele fim do mês de março. A certa altura, percebeu-se que a imprensa – TV Globo à frente – usava ministros dos tribunais superiores para refutar uma de suas teses: a de que aquele impeachment era golpe. A emissora, assim como alguns jornais, como o *Estadão*, e revistas, como *Veja*, *Época* e *IstoÉ*, foram bastante inteligentes: ouviram juristas, ministros do Supremo Tribunal Federal e políticos para dizer que o impeachment constituía um dispositivo previsto na Constituição – de que maneira então se poderia qualificá-lo como golpe? Eis o tipo de debate com o qual o governo tenderia a perder fácil junto à opinião pública. Se estava na Constituição, era juridicamente legítimo. Se era juridicamente aceitável, estava longe de ser um golpe.

Foi aí que se decidiu pelas frases mais ditas e repetidas pela presidente Dilma entre abril e início de maio, todas concebidas pelo jornalista Mario Marona, um dos seus principais redatores de discursos: "Impeachment sem crime de responsabilidade é golpe." Ou variações como "Impeachment não é golpe; golpe é um impeachment sem crime de responsabilidade cometido pelo presidente da República". As pedaladas fiscais, no entendimento do Palácio do Planalto, não configuravam crime de responsabilidade. Foram desvios cometidos igualmente por Fernando Henrique Cardoso em 2001 e por Lula em 2009 e 2010, sem que tivesse havido punição a eles por isso. Mais do que isso, foi uma prática aceita pelo Tribunal de Contas da União durante 15 anos. Dilma lembrava dia e noite, noite e dia que o TCU – responsável pela análise das contas do governo federal – jamais havia questionado esses procedimentos administrativos. Quando mudou esse entendimento, em 2015, o governo corrigiu e cumpriu o que o tribunal recomendou. Não se poderia falar, portanto, em crime de responsabilidade, muito menos em má-fé da presidente.

Dilma passou a criticar o juiz Sergio Moro de maneira cada vez mais incisiva e clara. Um executor da Justiça, disse ela num dos seus discursos, não pode condenar adversários, abdicar da sua imparcialidade ou se transformar em militante partidário: "Pode ter convicções, mas isso não pode iluminar suas decisões", afirmou. A divulgação de sua conversa com o ex-presidente Lula tornou-se uma obsessão para ela. Aquilo havia sido demais: Moro rasgara a Constituição ao autorizar a divulgação. Um dia depois dessa ação, o juiz comparou o episódio ao Watergate, o escândalo que derrubou o presidente Richard Nixon em 1974, ao justificar por que não iria excluir das investigações da Operação Lava Jato a conversa interceptada pela Polícia Federal. "Nem mesmo o supremo mandatário da República tem um privilégio absoluto no resguardo de suas comunicações, aqui colhidas apenas fortuitamente, podendo ser citado o conhecido precedente da Suprema Corte norte-americana em US x Nixon, em 1974, ainda um exemplo a ser seguido."

Numa quente sexta-feira, a caminho de Feira de Santana, interior da Bahia, para entregar casas do programa Minha Casa, Minha Vida, Dilma pediu detalhes sobre o Watergate ainda no avião. Sua intenção era responder a Moro no discurso que faria. "Como ele pode misturar as coisas dessa forma?", perguntou-se. Com sua memória e os detalhes mencionados no avião, ela rascunhou no computador o que diria logo a seguir, ao desembarcar: "As situações são bem diferentes porque lá era o presidente que grampeava todo mundo. Este exemplo só mostra que nem mesmo um presidente pode grampear [ligações] sem autorização." Para a presidente, a atitude de Moro feria a Lei de Segurança Nacional, como ocorre em todos os países democráticos. "O problema do grampo não é por ser comigo, a Dilma, mas por eu ser a presidente do Brasil."

Na volta, começou uma sucessão constante e implacável de atos contra o impeachment nas dependências do Palácio do Planalto. Depois dos juristas, vieram os artistas. Depois dos artistas, profissionais de educação. Depois dos profissionais de educação, vieram os movimentos sociais ligados à moradia e habitação. Todos eles eram embalados ao som do grito de ordem "Não vai ter golpe". A ponto de incomodar, na imprensa e mesmo entre alguns auxiliares da presidente, o uso do Palácio do Planalto para atos do gênero. Um debate interno começou a ser travado. "É guerra", justificavam os defensores daquela agenda. Uma discussão encerrada pela presidente – primeiro ela freou, mas depois acelerou ainda mais a prática. Era guerra, ela concordava.

Se inicialmente os alvos preferenciais eram o deputado Eduardo Cunha e o juiz Sergio Moro, a partir do fim do mês de março o vice-presidente Michel Temer ganhou referências cada vez mais duras. Até a exacerbação definitiva do que os estrategistas do Palácio do Planalto pretendiam difundir: a de um vice-presidente que trabalhava pelo impeachment, um vice que era também o "capitão do golpe", segundo as palavras da presidente.

Deu-se no dia 11 de abril uma das notas mais surpreendentes do relacionamento entre uma presidente da República ameaçada de sofrer um processo de impeachment e um vice-presidente que ela suspeitava havia algum tempo conspirar para assumir seu posto. "Não estou acreditando. Eu não ouvi direito ou ele mostrou a todos que é, de fato, um golpista?", reagiu Dilma, ao ouvir a notícia de que Temer enviara, via whatsapp, um discurso de longos 15 minutos a parlamentares do PMDB, seu partido. Na mensagem, o vice-presidente falava como se o impeachment tivesse sido aprovado pela Câmara dos Deputados. Naquele dia, o impeachment avançara na comissão especial da Câmara criada para analisá-lo, por 38 votos a 27; mas faltava o plenário decidir pelo afastamento ou não da presidente. A votação ocorreria no domingo seguinte, dia 17 de abril, e depois passaria ao Senado. A fala era uma espécie de carta de apresentação do que seria uma gestão capitaneada por ele.

No áudio vazado, Temer diz estar fazendo seu primeiro "pronunciamento à nação". Afirma ter decidido falar naquele momento, "quando a Câmara dos Deputados decide por uma votação significativa declarar a autorização para a instauração de processo de impedimento contra a senhora presidente". Declara ainda estar recolhido "há mais de um mês para não aparentar que eu estaria cometendo algum ato, praticando algum gesto com vistas a ocupar o lugar da senhora presidente". Mas ressalta: "Muitos me procuraram para que eu desse pelo menos uma palavra preliminar à nação brasileira, o que faço com muita modéstia, cautela, moderação, mas também em face da minha condição de vice-presidente e também como substituto constitucional da senhora presidente da República." Temer afirma que poderia falar apenas após o fim do processo no Senado, mas que "evidentemente, sabem todos os que me ouvem que, após a decisão do Senado Federal, eu preciso estar preparado para enfrentar os graves problemas que hoje afligem o nosso país".

Dilma reagiu. "Caiu a máscara do conspirador", disse ela, em seu gabinete, aos ministros Jaques Wagner e Ricardo Berzoini e ao assessor especial Gilles Azevedo. "Temos de enfatizar isso, vamos pra cima", recomendou. Logo em seguida, Ricardo Berzoini chamou alguns jornalistas: "Estou estupefato. Ele está confundindo a apuração de eventual crime de responsabilidade da presidente Dilma com eleição indireta. Está disputando votos e transformou o processo numa eleição indireta para conseguir votos em favor do impeachment. Esse áudio demonstra as características golpistas do vice." Jaques Wagner complementou a resposta em outra entrevista: "É um conspirador", resumiu, cobrando de Temer sua renúncia caso o impeachment viesse a ser barrado no Congresso.

Na primeira oportunidade, a presidente falou abertamente, em público: no dia seguinte ao vazamento, num dos eventos no Palácio do Planalto transformados em luta contra o seu afastamento, ela afirmou que o vice-presidente lançou mão da "farsa do vazamento". Foi deliberado e premeditado, sublinhou. Demonstrou arrogância e desprezo. Subestimou a inteligência do povo brasileiro. Dilma não censurou palavras: "Nós vivemos tempos de golpe, de farsa e de traição. Agora, conspiram abertamente, à luz do dia, para desestabilizar uma presidente legitimamente eleita. O gesto revela a traição contra mim e contra a democracia e que o chefe conspirador não tem compromisso com o povo." Temer e Cunha eram o "chefe e vice-chefe assumidos da conspiração", atuando numa espécie de "gabinete do golpe". E prosseguiu: "Um deles é a mão não tão invisível, que conduz com desvio de poder e abusos inimagináveis o processo de impeachment. O outro esfrega as mãos e ensaia a farsa de um vazamento de um pretenso discurso de posse. Cai a máscara dos conspiradores e o país e a democracia não merecem tamanha farsa." Frases que se tornaram sucesso nas redes sociais, mas não foram exatamente recebidas com grande entusiasmo pela imprensa.

A mensagem de Michel Temer foi interpretada como um "discurso da vitória", no qual o vice-presidente esboça o que seria um governo sob sua tutela: ele defende amplo papel da iniciativa privada na recuperação do país, mas se compromete a manter e, "se possível", ampliar os programas sociais já existentes, como o Bolsa Família. Era também uma clara defesa do que NÃO faria: nos últimos dias a ordem no governo era espalhar o temor de que, em caso de impeachment, o novo governo acabaria com os programas sociais. "Sei que dizem de vez em quando que se outrem assumirem, nós vamos acabar com o Bolsa Família, com o Pronatec... Isso é falso, é mentiroso e é fruto dessa política mais rasteira que tomou conta do país", afirma.

Essa foi uma das razões por que se teve a certeza de que o vazamento foi proposital e surgiu da própria equipe do vice-presidente. A sua assessoria confirmou a veracidade do áudio e disse que Temer havia enviado "por acidente" aos aliados. "Trata-se de um exercício que o vice estava fazendo em seu celular e que foi enviado acidentalmente para a bancada." O tema inspirou meme nas redes sociais e virou piada nos corredores e gabinetes do Palácio do Planalto. Primeiro, era preciso uma conexão de outro mundo para não se dar conta a tempo de um áudio de 15 minutos encaminhado via WhatsApp. Segundo, o mesmo Temer que nem sequer abria e-mails conseguia disparar um arquivo de áudio para um grupo de whatsapp. Ninguém acreditou.

"Desconte-se a trapalhada que tornou público o áudio de Temer. Ele informou que se recolheu 'há mais de um mês'. Seria um exemplo de recato se tivesse amparo nos fatos", escreveu o jornalista Elio Gaspari, para quem os 14 minutos de Temer não embutiram uma plataforma, mas mostraram um palanque. "Diante da ruína produzida pela doutora Dilma, antecipa 'sacrifícios'." Um vice antes decorativo, agora ansioso, definiu outro analista político, o jornalista Bernardo Mello Franco

Naqueles últimos atos e cerimônias até a decisão final do Congresso pelo seu afastamento, a presidente destinava as frases mais duras a Temer, Cunha e Sergio Moro. Se Temer era o nome inevitável para substituí-la e Cunha era defenestrado ou mesmo aceito de maneira envergonhada pelos defensores do impeachment, o juiz era classificado como herói. Nenhum excesso denunciado pelo governo brecava a popularidade de Moro. Na imprensa e nas ruas. Em sua capa de retrospectiva dos fatos que marcaram 2015, *Veja* estampou sua foto e escreveu: "Ele salvou o ano". Era o símbolo da visão celebrativa que fazia a imprensa amar e integrantes do governo, unanimemente, odiar.

A presidente se espantou, mas evitou fazer comentários públicos, quando soube da criação de uma camiseta que passou a ocupar vitrines de lojas de alto luxo no país: Sergio K., descrito em seu site como um empresário com "faro para identificar o que as pessoas querem usar e traduz atualidades em camisetas que somem das prateleiras em poucos dias", concebeu a camiseta com a frase "*In* Moro *we trust*" (algo como "Confiamos em Moro"), uma homenagem, segundo o estilista, "ao juiz mais aclamado de todos os tempos". O preço da camiseta: R$ 198. Cento e noventa e oito reais por uma camiseta básica – como se diz no jargão da moda.

Era uma batalha cujo pêndulo caía de lado em favor de Sergio Moro, da Lava Jato, de Michel Temer e do PMDB de Eliseu Padilha, Romero Jucá e Moreira Franco. No fim da tarde de terça-feira, 3 de maio, entrou em andamento processual o principal inquérito da Lava Jato que corre no Supremo Tribunal Federal: um pedido do procurador-geral da República, Rodrigo Janot, para incluir mais 29 pessoas na investigação que apura a formação de uma organização criminosa para fraudar a Petrobras. Entre essas pessoas, o ex-presidente Lula, os ministros Jaques Wagner, Ricardo Berzoini e Edinho Silva, o assessor Gilles Azevedo e o ex-presidente da Petrobras José Sérgio Gabrielli. Os diálogos interceptados, dizia Janot, não deixavam dúvidas de que, embora afastado fortemente do governo, Lula mantinha o controle das decisões mais relevantes, "inclusive no que concerne às articulações espúrias para influenciar o andamento da Operação Lava Jato, a sua nomeação ao primeiro escalão, a articulação do PT com o PMDB, o que perpassa o próprio relacionamento mantido entre os membros destes partidos no concerto do funcionamento da organização criminosa ora investigada".

E Dilma Rousseff? Como escreveu o jornalista Mario Sergio Conti, "mesmo os seus inimigos mais truculentos, os tomados pela intolerância fanática, lhe concedem a honradez pessoal". Mais: "Querer ligá-la à corrupção é, pois, injustiça extravagante. No entanto, lá está ele, Eduardo Cunha, o Sinistro, à frente da horda que quer expulsá-la do Planalto." Cunha comandava a versão brasileira do cretinismo parlamentar, aquele mencionado no *18 de Brumário*.

Capítulo 24

FIM DE FESTA

Não tinha mesmo como dar certo. O clímax da derrubada da presidente Dilma Rousseff do poder dividiu-se em três capítulos finais. O primeiro deles deu-se na noite do domingo, 17 de abril de 2016, quando a Câmara dos Deputados, presidida por Eduardo Cunha, autorizou a abertura do processo de impeachment por 367 votos a favor e 137 contra. Ausências e abstenções somaram nove votos. Os seus opositores precisavam de 342 votos. O segundo capítulo foi no Senado: após uma sessão de quase 22 horas, encerrada na manhã do dia 12 de maio, os senadores decidiram pelo afastamento temporário da presidente, por 55 votos a 22, sem nenhuma abstenção. Os seus opositores precisavam de 41 votos para afastá-la. O terceiro e derradeiro capítulo ocorreu em 31 de agosto, quando o Senado confirmou o impeachment de Dilma Rousseff por 61 votos a 20, também sem nenhuma abstenção.

Dilma lutou até o fim – mesmo quando passou a considerar o resultado como inevitável, ainda em abril de 2016. Entre abril e maio – quando seu governo acabou de fato – os dias foram tão erráticos quanto melancólicos. Enquanto prosseguia com sua agenda incansável de viagens – entregando casas do programa Minha Casa, Minha Vida, inaugurando trechos de obras inacabadas, como o do São Francisco, ou visitando grandes empreendimentos do governo, como o gigantismo exibido na usina de Belo Monte – deu uma derrapada no fim de uma entrevista a dez jornalistas, em seu gabinete: "Se ganhar, vou propor um pacto. Se eu perder sou carta fora do baralho." Estava a quatro dias da votação na Câmara. Mesmo ressaltando em seguida que se referia ao fim do processo, somente depois da votação do Senado, a frase foi interpretada como dita por quem jogava a toalha.

Ainda em abril, viu o jornalista Thomas Traumann, ex-ministro da Secretaria de Comunicação Social e porta-voz da Presidência, aparecer na porta da Fundação Ulysses Guimarães. Traumann surgia como um consultor do partido de Michel Temer. Mais do que isso, chutava um cachorro combalido: "Todo político tem sua personalidade, mas um problema da personalidade da presidente Dilma Rousseff é que ela só confia em poucas pessoas de um círculo mais íntimo e que é muito pequeno", disse o ex-ministro, para quem as oportunidades de mudança haviam sido perdidas. "Faltou um mea-culpa, agora é tarde demais", afirmou.

No dia seguinte às suas declarações, aproveitei um momento em que estava a sós com a presidente em seu gabinete e fustiguei: "E o seu ex-ministro, hein?" Dilma respondeu: "Eu já esperava. Esse só consegue enganar por pouco tempo. Logo [os peemedebistas] vão descobrir o quanto é medíocre", completou, numa frase típica dos que se sentem magoados e ressentidos por um gesto de traição de um ex-aliado. Eu não quis lembrá-la que, durante muito tempo, Traumann fora bastante ouvido por ela, a ponto de tirar a ministra Helena Chagas do posto em favor do agora consultor do PMDB. Dilma emendou: "Numa coisa ele tem razão: não pertencia a meu círculo íntimo. Eu ouvia mesmo o João e o Franklin. Você quer comparar Thomas Traumann com cabeças brilhantes como o João Santana e Franklin Martins?"

Aquele era um período de notícias de traições diárias. Dilma viu seu governo se esfacelar com rapidez e produzir cenas vexatórias. Primeiro, a debandada dos partidos que formavam sua base de apoio no Congresso. Após a saída formal do PMDB, vieram as desistências e traições feito um castelo de cartas desmoronando: um a um, foram saindo PP, PSD e a maioria do PR. Quando os perdeu, a cassação pareceu inevitável. Com a base em frangalhos, ouviu na noite de sexta-feira, antevéspera do primeiro dos três capítulos finais de seu calvário, que ressurgira a chance: se havia traições governistas, também era possível enxergar defecções do lado de lá. O otimismo dos assessores, porém, não a convenceu. No sábado, no Palácio da Alvorada, ela se descreveu assim para dois ex-governadores do Ceará, os irmãos Ciro e Cid Gomes: "Não estou otimista nem pessimista."

No dia seguinte, o único momento em que pareceu realmente abalada, no Alvorada, foi quando o deputado Jair Bolsonaro, do PSC do Rio de Janeiro, homenageou o coronel Carlos Alberto Brilhante Ustra em seu voto pelo impeachment. Ex-chefe do DOI-Codi (Destacamento de Operações de Informações do Centro de Operações de Defesa Interna), órgão de repressão da ditadura, Ustra morreu aos 83 anos em outubro de 2015, depois de ter sido o primeiro militar condenado pela Justiça como torturador. "Pela memória do coronel Carlos Alberto Brilhante Ustra, o pavor de Dilma Rousseff", disse Bolsonaro ao votar. Fez-se silêncio na sala. Dilma apertou as mãos nos braços da cadeira em que estava sentada. Levantou-se e caminhou até um corredor que a levaria à saída da sala. Parou perto de uma estante, os convidados se entreolharam mas ninguém falou. A presidente então chamou um auxiliar de longa data: Ricardo Amaral, autor de sua biografia autorizada e uma das pouquíssimas pessoas com quem falou sobre as sessões de choques e pau de arara que sofreu quando foi presa, durante a ditadura, por sua atuação contra o regime.

Dilma ainda confrontaria seus auxiliares na estratégia final de comunicação antes de ser afastada temporariamente da Presidência. Havia uma recomendação: ela deveria conceder mais entrevistas. Cuidar das relações de Dilma Rousseff com a imprensa sempre foi um trabalho delicado, dada a sua aversão a jornalistas – "são superficiais, restritos e escrevem mal. E nunca leram Mark Twain", ironizou uma vez. Mas aqueles dias foram especialmente difíceis. Se ela tinha sempre uma lista extensa de pedidos de entrevista, quanto mais se aproximavam as votações do impeachment, mais pedidos e cobranças eram feitos. Trabalhou-se em pelo menos três planos estratégicos de comunicação, com um cronograma bem definido e bem distribuído de entrevistas dela e dos ministros para a imprensa nacional, regional e internacional. Nenhum deles foi posto em prática.

Entre abril e maio, o desafio era escolher a quem a presidente concederia entrevistas. Uma parte dos seus conselheiros recomendava concentrar nos chamados blogs progressistas – a batalha na grande imprensa já fora perdida, era necessário focar na disputa das redes sociais. Outra parte, mais sensata, achava que se deveria combinar entrevistas a blogueiros com entrevistas a jornais e TVs, especialmente as últimas, devido ao alcance de comunicação de que ela precisava. Todos concordavam que ela deveria dar atenção especial à imprensa internacional, mais aberta a ouvir os argumentos contra o impeachment do que a mídia nacional. Basta recordar que o insuspeito jornal *The New York Times* publicou um editorial em que classificava o impeachment como uma pena desproporcional à infração cometida por ela. Dilma acabou se concentrando nos últimos dias de governo praticamente à mídia internacional.

Nesses momentos, definir qual a melhor estratégia é uma tarefa extremamente complexa. Roteiros traçados podem não se cumprir e não há garantia de eficácia na escolha. Assessorados também têm estratégias e perfis distintos, não necessariamente melhores do que outros. Fernando Henrique Cardoso, por exemplo, tinha o hábito de chamar jornalistas com frequência para conversas íntimas no Palácio do Planalto ou no Palácio da Alvorada. Nesses encontros repassava informações, distribuía fofocas de bastidor e, ao mesmo tempo, sentia o termômetro a partir das próprias informações compartilhadas pelos jornalistas. Sabia fazer a corte: tratava repórteres como mais inteligentes e preparados do que costumam ser; não raro parecia dar tanta atenção ao que diziam quanto se estivesse numa conversa com um chefe de Estado; seduzia-os, portanto. Lula não era adepto dessa prática. Não sentava à mesa em conversas íntimas e via a imprensa, em geral, como adversária. Em compensação, sobretudo a partir do segundo mandato, com a chegada de Franklin Martins à Secretaria de Comunicação Social, Lula lidava diariamente com a imprensa. No jargão da imprensa, falava no "quebra-queixo", rápidas entrevistas realizadas na saída dos eventos de que participava (e eram muitos).

Dilma sempre foi o avesso dos dois antecessores. Nem cultivava conversas íntimas, nem recebia jornalistas com frequência, nem se sentia à vontade em entrevistas – coletivas ou exclusivas. A responsabilidade não era só dela. Sua equipe, ministros incluídos, jamais conseguiu convencê--la a colocar em prática um plano estratégico de relacionamento com a imprensa. Essas dificuldades se tornaram ainda mais evidentes na reta final do impeachment.

Mesmo jornalistas que não adotavam a oposição sistemática ao governo – como Mario Sergio Conti (GloboNews), Jorge Bastos Moreno (*O Globo*/TV Brasil) e Monica Bergamo (*Folha*) – ou repórteres que conseguiam manter uma cobertura honesta e correta em veículos escancaradamente contrários à permanência de Dilma no poder, como Delis Ortiz (da TV Globo) e Kennedy Alencar (CBN), ou ainda aqueles que esperavam ser mais bem tratados por estarem em desacordo com a cobertura geral da mídia, como era o caso da revista *Carta Capital*, mesmo todos esses impacientaram-se ao ver a ausência de respostas para seus pedidos de entrevista. Teriam sido boas escolhas: a presidente falaria à TV e a jornais, como falou a blogs aliados e à imprensa estrangeira – sem pegadinhas ou ataques implacáveis de jornalistas que a viam com animosidade. Mas o poder tem suas escolhas e seus mistérios indecifráveis, e muitas das escolhas da presidente também tinham um fundo de memória – não raro ela se queixou de como era tratada pela mídia. "É de cansar. Mas eles não conseguem me tirar do sério", disse uma vez.

E foi assim que ela chegou à reta final de seu governo. Não sem uma nova crise na última hora. Antes da votação que definiria seu afastamento, uma "operação tabajara" que envergonhou quem trabalhava no Palácio do Planalto em favor da preservação do mandato da presidente: uma ação atrapalhada para fazer com que o presidente interino da Câmara, Waldir Maranhão, anulasse as duas sessões que decidiram pelo afastamento de Dilma – a sessão de abril na Câmara e a que viria a seguir no Senado. O ministro José Eduardo Cardozo (Advocacia-Geral da União) e o governador do Maranhão, Flávio Dino (um dos principais porta-vozes do movimento de governadores contra o impeachment), estiveram com Waldir na noite de domingo, dia 8 de maio, e lhe apresentaram argumentos: a sessão da Câmara que aprovou a admissibilidade do impeachment poderia – e deveria – ser suspensa. O presidente da Câmara acatou os argumentos e decidiu suspender o processo.

O trio só esqueceu um detalhe: combinar com o presidente do Senado, Renan Calheiros, a quem caberia presidir a sessão em que os senadores confirmariam ou não a decisão da Câmara. Irritado por não ter sido ouvido, Renan avisou que iria ignorar a decisão do deputado. Ignorou, e o processo seguiu adiante. A suspensão pareceu animar alguns integrantes do Palácio do Planalto, que classificaram como uma reviravolta de última hora. Mas só alguns. A maioria viu o episódio como um exemplo de catatonia e desespero governamentais.

No sábado, dia 25 de junho, a senadora Rose de Freitas, líder do governo provisório de Michel Temer no Senado, disse o seguinte: "Na minha tese, não teve esse negócio de pedalada, nada disso. O que teve foi um país paralisado, sem direção e sem base nenhuma para administrar." Na segunda-feira, dia 27, a perícia do corpo técnico do Senado informou que Dilma Rousseff não deixou suas digitais nas "pedaladas fiscais" que formavam a espinha dorsal do processo de impeachment. Ela delinquiu ao assinar três decretos que descumpriam a meta fiscal vigente à época em que foram assinados – o que, para muitos, era o que bastava para defender sua condenação por crime de responsabilidade. A defesa de Dilma não cansou de argumentar contra a tese dos decretos. Em essência dizia que eles não alteravam o tamanho do gasto, e sim a distribuição dos recursos disponíveis na época. Não foi ouvida.

Não foram poucos os parlamentares e jornalistas que admitiram, em público ou em conversas reservadas, que Dilma Rousseff estava sendo impedida pelo "conjunto da obra". No que o jornalista Elio Gaspari concluiu, num artigo publicado no jornal *Folha de S.Paulo* em 29 de junho de 2016: "Há golpe". Crítico, irônico e mordaz em relação ao que o PT, Lula e Dilma fizeram no poder, Gaspari escreveu: "Paralisia, falta de rumo e incapacidade administrativa podem ser motivos para se desejar a deposição de um governo e milhões de pessoas foram para a rua pedindo isso, mas são insuficientes para instruir um processo de impedimento. Como diria o presidente Temer: não 'está no livrinho'." O jornalista lembrou um episódio ocorrido durante a ditadura militar, período sobre o qual escreveu cinco livros que se tornaram o mais extenso e comentado trabalho sobre esse momento histórico. Naquele período, lembrou ele, parlamentares perdiam seus mandatos em sessões durante as quais, em tese, era "ouvido" o Conselho de Segurança Nacional. Nelas, cada ministro votava. Ninguém foi absolvido, mas o conselho era "ouvido".

> Tamanha teatralidade teve seu momento quando o major-meirinho que lia o prontuário das vítimas anunciou:
> — Simão da Cunha, mineiro, bacharel...
> Foi interrompido pelo general Orlando Geisel, chefe do Estado-Maior das Forças Armadas:
> — ... Basta!
> — Bastou, e o major passou à próxima vítima.

No artigo mencionado, escrito e publicado antes do término do processo, Gaspari disse que Dilma Rousseff foi ré num processo que respeitou regras legais, "mas se a convicção prévia dos senadores já está definida na 'tese' da líder do governo, o que rola em Brasília não é um julgamento. É uma versão legal e ritualizada do 'basta' de Orlando Geisel". Segundo ele, o critério dos três decretos assinados pela presidente, se basta para um impedimento, também derrubaria todos os governantes brasileiros, de Michel Temer a Tomé de Sousa.

Dilma sempre viu o processo, de fato, como um golpe. Nenhum dos seus opositores, no Congresso ou na mídia, jamais entendeu o que queria dizer com isso, uma vez que todo o processo obedeceu à Constituição e esteve sob a vigilância do Supremo Tribunal Federal. Podia ser um golpe no sentido vocabular, como pregou Elio Gaspari (segundo o dicionário, golpe pode significar um "ato pelo qual a pessoa, utilizando-se de práticas ardilosas, obtém proveitos indevidos"). Ou podia ser um golpe parlamentar/ constitucional, como defendeu a presidente, com base na literatura sobre o tema. "A conspiração comandada por suspeitos e acusados dos crimes mais cabeludos derrubou uma mulher inocente, contra quem inexiste indício de ter se apropriado de bens públicos", escreveu o jornalista Mário Magalhães, em seu blog no portal UOL. "Impeachment sem crime de responsabilidade constitui golpe de Estado, com ou sem blindados e tropas nas ruas."

Golpe ou não, chame-se como quiser, o jogo acabou em 31 de agosto de 2016.

Da resistência à ditadura militar até o impeachment que sofreu, Dilma se acostumou a enfrentar dificuldades e lidou de maneira fria e racional com elas. Assim aconteceu durante o processo em que foi mastigada diariamente por uma sucessão de crises. Dias antes, mesmo questionada sobre a debandada de aliados, interessados em cortejar o iminente novo presidente em troca de benesses do poder, e como se manter firme diante do que via, ela abriu sua memória para os tempos de combatente da ditadura. Quando caiu nas mãos da repressão, disse, era levada de um lado para outro para ser torturada. Um dia na Oban, outro no Dops, outro no presídio Tiradentes – a ponto de sentir alívio nos feriados, quando sabia que os torturadores iam para suas casas descansar com a família. "Você ia pensar o quê? Não tem saída, isso é assim para sempre? Você se desespera? Não. Eu só pensava que aquilo ali não duraria para sempre. Você encara se tiver esperança de que aquele estado de coisas vai mudar. E muda." Foi com esse tipo de reflexão que Dilma Rousseff mirou no futuro, mesmo com previsão de derrota. Em entrevistas, discursos ou conversas reservadas, não se cansou de dizer: "Vou lutar até o último minuto."

O Brasil inteiro parou para ver a luta – ou para lutar com ou contra a presidente. Chegou ao clímax de uma paralisia asfixiante que fez tudo parar à espera de um desfecho da longa e tenebrosa novela. Investimentos, confiança, governabilidade, projetos, emprego, esperança, tudo foi se agravando ao longo dos 16 meses do segundo mandato de Dilma. A derrubada da presidente foi forjada aos poucos, mas de maneira crescente e inquietante. Mais do que isso, foi concebida e concretizada por uma soma implacável de fatores:

De um lado, um governo à mercê da oposição, imobilizado pela barragem política que associou Eduardo Cunha, Michel Temer, o PSDB de Aécio Neves,

Fernando Henrique Cardoso e José Serra, e o PMDB de nomes que, já na Presidência do vice-presidente sucessor, seriam alvejados por denúncias da Operação Lava Jato.

De outro lado, um governo à mercê dos próprios erros, sem criatividade e iniciativa, imobilizado pela soberba, pela inércia e por seus erros.

No meio do bolo, a cortina aberta dos assaltos inexplicáveis protagonizados por gente de diversos partidos, PT à frente, combinada a um dispositivo essencial para a pretendida remoção daquele governo – a força-tarefa de Curitiba, dotada de métodos questionáveis, estrilos, acusações tornadas públicas com investigações ainda em curso, vazamentos, operações ocorridas em datas convenientes e prejulgamentos.

Somados, esses fatores adornaram o processo e consumaram a derrubada. Curiosamente a punição maior foi dada à presidente sobre quem não havia acusação formal concreta, muito menos suspeita de corrupção. Mas corrupção não seria o motivo, e sim o propalado "conjunto da obra". Muitos queriam ver Dilma fora dos palácios presidenciais, e se as perícias no Senado negaram fundamento das duas acusações (as pedaladas fiscais e os créditos suplementares), que se votasse a favor de um impeachment em nome daquele "conjunto da obra" – uma soma de argumentos diversos que poderiam ir da crise econômica à propagada antipatia presidencial. Assim se fez, Dilma caiu, o PT arruinou-se, e o país pôde voltar a acreditar no fim da paralisia – até a próxima frustração com os novos inquilinos do Palácio.

É o poder das sombras: a ambição que unifica é a mesma que separa.

AGRADECIMENTOS

Concretizar este livro dependeu não somente da observação e do trabalho no governo, mas também – e principalmente – do aprendizado, do convívio e da paciência de muitas pessoas, a começar pela presidente Dilma Rousseff, a principal personagem desta história.

A ela se soma Edinho Silva, que ocupou a Secretaria de Comunicação Social da Presidência com esmero, cuidando da comunicação de um governo nada afeito a se comunicar. Jeitoso no trato político, sem perder a firmeza, ele foi um bom chefe e parceiro de tarefas inglórias, além de entender como poucos os meandros da política e de algo complexo chamado governo do PT.

Ao ex-ministro da Fazenda Joaquim Levy devo a responsabilidade pelo convite que me levou a Brasília e as convicções de alguém que se dedicava como poucos ao serviço público. Levy privava seus auxiliares de sono, em jornadas que invariavelmente seguiam até a madrugada, e exibia uma disposição incomum também para os embates de governo. Ainda no Ministério da Fazenda, foram importantíssimos os secretários Fabrício Dantas (secretário--executivo adjunto de Levy), Paulo Corrêa (secretário de Acompanhamento Econômico), Marcelo Saintive (secretário do Tesouro Nacional) e Jorge Rachid (secretário da Receita Federal). Competência, dedicação e retidão não lhes faltava.

Agradeço ainda o apoio, a companhia e o trabalho inestimáveis de profissionais que faziam parte da equipe de comunicação do Palácio do Planalto. Para dar conta de tantos grupos de trabalho e crises diárias, só mesmo compartilhando responsabilidades com os dois secretários adjuntos da Secretaria de Imprensa da Presidência, Myrian Pereira e Rodrigo Bauer. Ambos formavam uma dupla eficiente no conteúdo e também na forma.

Enquanto Myrian era o que se poderia chamar de trator na hora de cumprir missões, com firmeza e agilidade, Bauer era gentil e sereno. Ambos com humor incomparáveis.

O diplomata Carlos Villanova era o porta-voz da Presidência, embora nunca oficializado no posto, e responsável pela área Internacional da Secretaria de Imprensa. Experiente (acompanhava o ex-presidente Luiz Inácio Lula da Silva em suas viagens internacionais), elegante e carismático, Villanova era um dos poucos no Palácio que não temiam a presença da presidente nem eventuais reações que poderia ter diante de uma sugestão para ela descabida. Sabia ser respeitoso e informal, e Dilma o admirava bastante por isso. Dilma e seus colegas de trabalho.

Jovem, talentoso e arrojado, Keffin Gracher foi o diretor da área digital e responsável por alguns dos melhores momentos do enfrentamento contra o impeachment nas redes sociais – além de um amigo e companheiro de trabalho responsável, generoso e confiável.

Com Sinval Alan Ferreira Silva, o chefe de Gabinete do ministro Edinho Silva, foi possível fazer a devida leitura sobre as tramas e confusões palacianas e petistas – sem perder o humor jamais.

Agradeço ainda ao jornalista Mario Marona, com quem aprendi a redigir discursos e produzir textos para a presidente Dilma – desde quando dividimos o trabalho, com Ricardo Amaral, na campanha presidencial de 2010. Marona continuou com ela na Presidência e seguiu até o impeachment produzindo frases memoráveis que ganharam, na voz da presidente, as manchetes de jornais, sites, revistas e TVs.

Aos diretores da Secretaria de Imprensa, também o meu sincero agradecimento: o incansável fotógrafo Roberto Stuckert Filho e os competentes jornalistas Daniele Pereira, Sandra Sato, Gilmar Ferreira e Magda Dias Carvalho.

Agradeço também à jornalista Christina Fuscaldo, que na reta final de produção do livro encontrou tempo para auxiliar na pesquisa e na redação.

Ainda agradeço a todos os jornalistas com quem lidei, discuti, enfrentei, refleti sobre os rumos do governo e, em alguns casos, tornei-me amigo ao longo do trabalho em Brasília. Estar em diferentes lados do balcão, sobretudo num ambiente de crise como o que se viveu entre 2015 e 2016, costuma abrir fissuras e alimentar desavenças, mas também deixa rastros de admiração. Seria impossível citar todos os nomes, mas gostaria de mencionar alguns deles: Adriana Fernandes, Alonso Soto, Amanda Klein, Ana Geralda Doca,

Ancelmo Gois, André Barrocal, Andréa Jubé, Andreia Sadi, Anna Edgerton, Bernardo Mello Franco, Carla Simões, Carol Pires, Catarina Alencastro, Claudia Safatle, Cristiana Lobo, Cynara Menezes, Débora Bergamasco, Delis Ortiz, Fernando Rodrigues, Gabriela Valente, Gerson Camarotti, Giovanna Teles, Irany Tereza, Jorge Bastos Moreno, Julia Duailibi, Júnia Gama, Kennedy Alencar, Lauro Jardim, Leandra Peres, Luis Nassif, Malu Gaspar, Marcelo Moraes, Maria Cristina Fernandes, Marina Dias, Martha Beck, Maria Cristina Frias, Míriam Leitão, Monica Bergamo, Natuza Nery, Paulo Celso Pereira, Paulo Henrique Amorim, Paulo Moreira Leite, Regina Alvarez, Renato Rovai, Ribamar Oliveira, Roniara Castilhos, Rosana Hessel, Simone Iglesias, Sônia Racy, Tales Faria, Talita Fernandes, Tânia Monteiro, Thais Oyama, Sergio Fadul, Valdo Cruz e Vera Rosa. São nomes de Brasília, São Paulo e Rio de Janeiro que, diariamente ou de maneira eventual, buscavam informação e análises dentro do governo e que, mesmo na divergência ou nos interesses opostos, souberam agir com o respeito e a integridade necessários.

A Leila Name, diretora geral da LeYa, uma amiga e chefe (necessariamente nesta ordem), meu profundo agradecimento. Sua amizade e seu exemplo de profissionalismo se somaram ao estímulo essencial para escrever e publicar este livro. Igualmente a Martha Ribas, diretora editorial, o cuidado na leitura e a parceria no trabalho. A entrega tardia e os defeitos originais as eximem de qualquer equívoco deste livro.

E, por fim, mas não menos importante, pela paciência diante dos dias e dias de ausência e pela torcida a distância, agradeço a meus pais, Oton e Celeste, e irmãos, Wander e Luciana.

1ª edição	Novembro de 2016
papel de miolo	Pólen Soft 70g/m²
papel de capa	Cartão Supremo 250g/m²
tipografia	ITC Berkeley Oldstyle
gráfica	Lis Gráfica